Deutsch aktiv

Ein Lehrwerk für Erwachsene

Arbeitsbuch 1B

Gerd Neuner, Theo Scherling, Reiner Schmidt und Heinz Wilms

LANGENSCHEIDT

BERLIN · MÜNCHEN · WIEN · ZÜRICH · NEW YORK

Zeichnungen und Layout: Theo Scherling
Fotografie: Ulrike Kment (s. a. Quellennachweise, S. 160)
Umschlaggestaltung: Theo Scherling
Umschlagfoto: Mauritius, Mittenwald
Redaktion: Gernot Häublein
Verlagsredaktion: Sabine Wenkums

Deutsch aktiv Neu

Ein Lehrwerk für Erwachsene

Stufe 1B

Lehrbuch 1B	49120
Arbeitsbuch 1B	49121
Lehrerhandreichungen 1B	49122
Glossar Deutsch-Englisch 1B	49123
Glossar Deutsch-Französisch 1B	49124
Glossar Deutsch-Italienisch 1B	49125
Glossar Deutsch-Spanisch 1B	49126
Glossar Deutsch-Türkisch 1B	49127
Glossar Deutsch-Polnisch 1B	49128
Glossar Deutsch-Griechisch 1B	49129
Glossar Deutsch-Russisch 1B	49131
Cassette 1B/1 Hörtexte	84555
Cassette 1B/2 Sprechübungen	84556
Begleitheft zu Cassette 1B/2	49130
Folien 1B	84557

 = Dieser Text aus dem Lehrbuch ist wörtlich auf Cassette 1 B/1 aufgezeichnet.

 = Zu diesem Abschnitt des Lehrbuchs enthält Cassette 1 B/1 zusätzliche Hörmaterialien.

Druck: 10. 9. 8. 7. 6. | Letzte Zahlen
Jahr: 96 95 94 93 92 | maßgeblich

© 1988 Langenscheidt KG, Berlin und München

Druck: Druckhaus Langenscheidt, Berlin
Printed in Germany · ISBN 3-468-49121-2

Inhaltsverzeichnis

Informationen für Lernende

1. Was finden Sie im *Arbeitsbuch 1B*?

- Sie finden viele verschiedene Übungen zu (fast) allen Abschnitten des *Lehrbuchs 1B*. Die Bezeichnung der Abschnitte ist im *Lehrbuch* und im *Arbeitsbuch* gleich (9A1, ...; 9B1, ...). Die einzelnen Übungen sind in den A-Teilen und in den B-Teilen jeweils durchnumeriert (Ü1, Ü2, ...).

- Zwischen den A-Teilen und den B-Teilen eines jeden Kapitels sind Übungen, Aufgaben und Rätsel zur Wiederholung (9AW, 10AW, ...).

- Außerdem gibt es viele Wiederholungsübungen nach Kapitel 12 (9-12W) und nach Kapitel 16 (13-16W): In diese[n] Übungen wiederholen wir Wortschatz und üben das Sprechen in Situationen.

- Danach kommen immer die Kontrollaufgaben (9-12K, 13-16K). Mit diesen Kontrollaufgaben testen Sie sich selb[st]: "Was habe ich gelernt? Was muß ich noch einmal wiederholen?"

- Mit dem Lösungsschlüssel können Sie sich selbst kontrollieren ("Was habe ich richtig gemacht?") und selbst korrigieren ("Was habe ich falsch gemacht? Wie ist es richtig?").

- Am Ende des *Arbeitsbuchs* gibt es schließlich eine Grammatikübersicht: In dieser Übersicht finden Sie alles[,] was Sie in den *Lehrbüchern 1A* und *1B* an Grammatik gelernt haben bzw. noch lernen werden.

2. Was lernen Sie mit den Aufgaben und Übungen des *Arbeitsbuchs 1B*?

Vor allem lernen Sie ...

- ... schriftliche Texte verstehen; Stichpunkte zu schriftlichen Texten machen; Inhalte von schriftlichen Texten zusammenfassen; Texte nach Stichpunkten und Bildern selbst schreiben; Briefe und Lebenslauf schreiben; beschreiben, was passiert ist und was Sie erlebt haben; beschreiben, wie etwas ist und wie etwas funktioniert; Ihre Meinung äußern und begründen.

- ... Hörtexte (Dialoge, Gespräche, Telefonate, Interviews, Radiotexte, ...) verstehen: Dabei helfen Ihnen die Übungen des *Arbeitsbuchs* mit schriftlichen Vorinformationen, Bildern, Lückentexten, Zusammenfassungen, Stichwörtern, Worterklärungen, Fragen, ...

- ... Hörtexte (Dialoge, Gespräche, Telefonate) reproduzieren, rekonstruieren, variieren, selbst neu machen und spielen.

- ... grammatische Formen erkennen und richtig gebrauchen; Sätze analysieren und richtig bilden; den Aufbau von Texten erkennen und Texte herstellen.

- ... die Bedeutung von Wörtern verstehen und Wörter im Kontext richtig gebrauchen; zusammengesetzte Wörter (Komposita) und abgeleitete Wörter (Derivativa) analysieren und verstehen.

3. Wie können Sie mit dem *Arbeitsbuch 1B* arbeiten?

Nun - im Unterricht und zu Hause, in der Gruppe und allein, mit Hilfe der Lehrerin/des Lehrers und oft auch ohne ihre/seine Hilfe.
Diese Symbole links oder rechts auf der Seite helfen Ihnen:

○	bedeutet: Die Aufgabe kann/soll ich allein bearbeiten.
○-○	bedeutet: Die Aufgabe kann/soll ich mit meiner Nachbarin / meinem Nachbarn bearbeiten.
🙎	bedeutet: Die Aufgabe sollen/können wir in einer kleinen Gruppe von Kursteilnehmern bearbeiten.
🗨	bedeutet: Über diese Aufgabe sollen/können wir in der Klasse sprechen.
🖳	bedeutet: Die Lehrerin / Der Lehrer sollte uns bei dieser Aufgabe helfen.
📼↗	bedeutet: Wir arbeiten mit einem Hörtext auf der Cassette, der im *Lehrbuch* und im *Arbeitsbuch* nicht (ganz) abgedruckt ist.
⚷	bedeutet: Die Lösung der Aufgabe (oder Lösungsbeispiele) finden wir im Lösungsschlüssel des *Arbeitsbuchs* (S. 126 - 134).
✏	bedeutet: Wir sollen auf ein Blatt schreiben. Die Lehrerin / Der Lehrer soll das korrigieren. (Tip: Alle Blätter in einer Mappe sammeln.)

Und nun —
an die Arbeit und viel Spaß!

Ü1 Schreiben Sie bitte 🔑

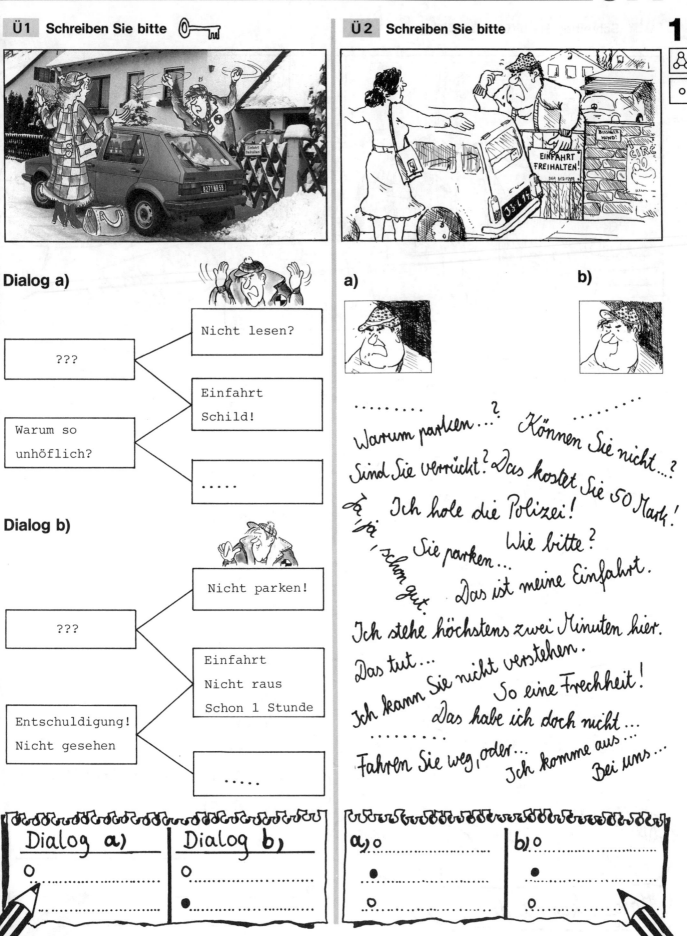

Dialog a)

???	— Nicht lesen?
	— Einfahrt Schild!
Warum so unhöflich?	— .....

Dialog b)

???	— Nicht parken!
	— Einfahrt Nicht raus Schon 1 Stunde
Entschuldigung! Nicht gesehen	— .....

Ü2 Schreiben Sie bitte

a)   **b)**

....
Warum parken ...?   Können Sie nicht ...?
Sind Sie verrückt? Das kostet Sie 50 Mark!
Ja, Ich hole die Polizei!
schon gut.   Sie parken ...   Wie bitte?
Das ist meine Einfahrt.
Ich stehe höchstens zwei Minuten hier.
Das tut ...   Ich kann Sie nicht verstehen.
     So eine Frechheit!
Das habe ich doch nicht ...
....
Fahren Sie weg, oder...   Ich komme aus ...
     Bei uns ...

Dialog a)	Dialog b)
○	○ ....
....	● ....
●	....

a) ○	b) ○
....	....
●	● ....
○	○ ....

2 Ü3 Schreiben Sie bitte einen Dialog

Ü 4 Lesen und hören Sie, was Willi sagt.
Welche Sätze passen zu welchem Bild?

a) Oje, die Tonne, wer hat die Tonne da hingestellt?

b) Mensch, wo ist der Schlüssel? Den hab ich doch gehabt! Auch nicht.
So was Dummes! Ich muß klingeln.

c) Geht nicht, verflixt!

d) Blödes Ding! Mitten im Weg!

e) Guten Abend!

f) Ja, gute Nacht auch.

g) Langsam, langsam, mein Kleiner. So, jetzt los! 4. Stock!

h) Nein, das ist ... oha: Becker - total falsch!

i) Nanu - Kaufmann? Was mach' ich bloß?? Auch falsch. Wir wohnen doch im zweiten Stock?! Was ist denn hier los?

j) Meine Damen und Herren - hups - es ist schon spät. Ich geh' jetzt schlafen.

Bild	Sätze
①	a d
②	b i c h
③	e f g j
④	9

Ü 5 Was sagen die Nachbarn? Hören und schreiben Sie bitte

Ü 6 Rekonstruieren Sie dann den ganzen Hörtext

Ü 7 **a) Hören Sie und ergänzen Sie** 🔑

b) Wer sagt was? 🔑

Ü 3 📼

① Ich *versteh'* das nicht: Immer _____ du

so spät _____ _____ . Und _____

_____ du auch noch betrunken! Alle _____

im Haus ...

① **Willis Frau**

○ Es tut mir ja auch _____ ...

○ Das hast du schon oft _____ . Und gestern

_____ du auch noch _____ dem _____ _____ ,

das ist doch _____ ...

② **Willi**

○ Ja, das stimmt, das war _____ ...

○ Dich versteh' ich überhaupt ~generally on the whole~ _____ , Fred!

_____ bist du _____ _____ gefahren?

○ Wir haben beide zuviel _____ !

③ **Fred, Willis Freund**

○ Aha, und Willi fährt _____ , und du _____

daneben und _____ nichts. Du bist ein _____

~next to it~ ... ~besides~

○ Ich habe zu Willi _____ : Wir _____

beide nicht _____ ! Tu das _____ ! Die

Polizei!!! Das ist _____ .

④ **der Hausmeister**

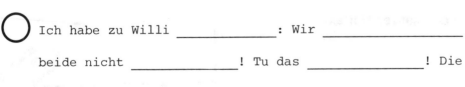

○ Und warum bist du _____?

○ Ja, was hätte ich denn ...?

○ Und jetzt ist die Garage _____!

○ Ja, das tut mir ja auch _____ _____!

○ Das bezahlen Sie! Das ist _____! Das sage ich _____!

Und warum haben Sie so einen Krach _____? Gesungen haben

Sie auch!

○ Nein, nein, das stimmt _____! Ich habe nicht ...

○ Fragen Sie die anderen _____!! Alle haben das _____!

Und jetzt ist der _____ auch _____!

○ Was?? Ich bin nicht mit dem _____ _____ ! Das habe ich nicht ...

○ Was sagen Sie? Sie _____ wohl gar nichts _____! Sie sind zehn-,

zwanzigmal _____ dem Lift _____ und _____ und wieder ...

○ Wie bitte? Ich bin zu _____ ...

○ Nein, Willi, du bist mit _____ _____ ...

○ Sehen Sie! Ich habe es doch _____ ...

○ Aber Fred, warum hast du nicht _____ _____ ...?

Ü8 **Lesen Sie die Geschichte zu Bild ①.**
Schreiben Sie dann Geschichten zu den Bildern

① *Beispiel:*

Eine alte Frau sitzt im Zug. Ein Mann steigt ein. Sein Arm ist kaputt. Er raucht. Die Frau sagt: "Können Sie nicht lesen? Hier ist Rauchen verboten!" Der Mann sagt: "Doch, ich kann lesen, aber ich will auch rauchen!" Da sagt die Frau: "Hören Sie sofort auf, oder Sie haben zwei kaputte Arme!" *(Text eines Kursteilnehmers)*

Ü9 Herr Ackermann ruft bei FORD an. Lesen und ergänzen Sie die Telefongespräche

○ Firma Ford, guten _Tag_.

● Ackermann, guten _Tag_.
Können

Sie mich
bitte mit der Personal-
abteilung verbinden?

○ Einen Moment, bitte ...

☐ Firma Ford, Personalabteilung, Kappus, guten Tag ...

● Ackermann! Guten Tag, Frau Kappus. Ich _habe_
eine Frage:

arbeitet bei Ihnen ein Herr _Neumanns_ ?

☐ Warum _wollen_ Sie das wissen, Herr Ackermann?

● _Darf_ ich Ihnen das einmal kurz erklären? Also: Ich _bin_ ein Nachbar

von Familie _Neumann_, wir _wohnen_ auch in der Gartenstraße, und ich glaube,

stimmt ?
daß bei Neumanns etwas nicht _Rechts_ : Der _Zeitungskasten_ ist nicht

geleert, die _Zeitungen_ liegen auf der Straße, aber die _Garage_

ist offen, schon seit Tagen ...
since

☐ _Haben_ Sie denn schon einmal bei Neumanns geklingelt?

niemand / keiner
● Natürlich! Aber _____ meldet sich. Deshalb haben Frau _Reichel_ - das

ist auch eine _Freundin_? von Familie Neumann - und ich gedacht, wir _wollen_?

einfach einmal bei Ihnen _anrufen_? vielleicht _wissen_ Sie ...
perhaps

simple
simple
plain
☐ Also, wenn das so ist - warten Sie bitte einen Moment, ich melde mich gleich

wieder ...

Melden = anounce, Report, inform a person
a thing

Frau Kappus ruft in der Abteilung "Planung und Entwicklung" an; da arbeitet Herr Neumann. Aber Herr Neumann ist heute nicht da. Hat er Urlaub? Nein, Urlaub hat er nicht. Ist er vielleicht auf einem Kongreß? Die Kollegen wissen es nicht. Dann spricht Frau Kappus wieder mit Herrn Ackermann ...

☐ Hallo, Herr Ackermann?

● Ja?

☐ Herr Neumann _ist_ heute nicht _hier_ , mehr _habe_ ich Ihnen auch nicht _gelernt_ ? ...

● Ja, aber da _____ wir doch etwas _tun_ !

☐ Es _kann_ → _sein_, _daß_ er auf einem Kongreß ist, aber ...

● Ich meine, _daß_ wir die Polizei _anrufen_ _müssen_ ! ...

☐ Langsam, langsam, Herr Ackermann!

● Also, Sie _können_ ja machen, was Sie _wollen_ , ich _rufe_ die Polizei _an_ ! Auf Wiederhören!

**Ü 10 Herr Ackermann telefoniert mit der Polizei.
Schreiben Sie bitte das Telefongespräch**

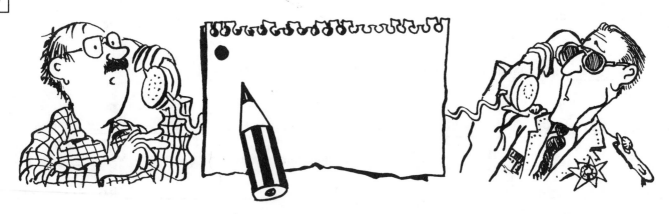

**Ü 11 Wo kann Herr Neumann sein? – Machen Sie eine Umfrage in der Klasse.
Berichten Sie**

Ü 12 Was meinen Sie: Was ist hier los? Was ist hier passiert?
Schreiben Sie bitte

Ü 1 Ergänzen Sie die Dialoge

a) o Ich ___will___ nach Köln.

● Wann ___wollen___ Sie fahren?

o Morgen nachmittag.

● Sie ___müssen___ den Zug um 14 Uhr 47 nehmen,

dann ___sollen___ Sie um 15 Uhr 7 in Köln.
⨯

Bonn
Köln   ab: 14.47
          an: 15.07

b) o Ich ___will___ nach München.

● Wann ___wollen___ Sie ~~fahren~~ ?

o Morgen früh.

● Sie ___müssen___ um 6 Uhr 50 ~~fahren~~ .
⨯   ⨯

o ___muß___ ich da umsteigen?

o Ja, in Karlsruhe.

Baden-Baden   ab: 6.50
Karlsruhe   an: 7.10
U Karlsruhe   ab: 7.25
München   an: 11.20

Ü 2 Schreiben Sie ähnliche Dialoge.

a) Nicht umsteigen:

Bonn	ab: 13.35	Münster	ab: 15.57
Köln	an: 13.54	Bremen	an: 17.12
Frankfurt	ab: 12.20	Trier	ab: 8.16
München	an: 16.04	Koblenz	an: 9.36

o Ich
● Wann

b) Umsteigen:

der Fahrplan 'e

Bonn	ab: 9.41	Köln	ab: 16.05
Köln	an: 10.00	Dortmund	an: 17.13
U Köln	ab: 10.10	U Dortmund	ab: 17.19
Bremen	an: 13.12	Hannover	an: 18.50
Baden-Baden	ab: 13.33	Stuttgart	ab: 11.08
Stuttgart	an: 15.19	Mannheim	an: 12.28
U Stuttgart	ab: 15.57	U Mannheim	ab: 12.33
München	an: 18.09	Mainz	an: 13.11
München	ab: 13.57	Hamburg	ab: 15.57
Karlsruhe	an: 17.39	Würzburg	an: 20.34
U Karlsruhe	ab: 17.58	U Würzburg	ab: 20.43
Freiburg	an: 19.00	Nürnberg	an: 21.38

ab .... an

9B

1 Ü1 Ergänzen Sie bitte 🔑

1. Ich __*will*__ nach Paris. - Wohin __willst__ du?
   __Wollen__ Sie?

2. Wir __wollen__ nach Paris. - Wohin __will__ ihr? _wollt_

3. __Willst__ du auch nach Honolulu? - Nein, ich __will__ nach Bangkok. _wollt_

4. Ich __will__ nach Kenia. - Wohin __willst__ du?
   __Wollen__ Sie?

5. Morgen __*muß*__ ich nach Rom. - Wohin __mußt__ du?
   __müssen__ Sie?

6. Wir __müssen__ nächstes Jahr nach Australien. Wohin __müßt__ ihr?
   __müssen__ Sie?

7. __müssen__ Sie auch nach New York? - Nein, ich __muß__ nach Los Angeles.

8. __mußt__ ihr wirklich schon nach Hause? - Ja, leider, wir __müssen__ .

2 Ü2 Was kann/darf man hier (nicht)? Was können/dürfen Sie hier (nicht)? Schreiben Sie bitte

Bildsymbole zu Ihrer Information

① Gepäck-abfertigung ② Nichtraucher ③ Kein Trinkwasser! ④ Nichts hinauswerfen!

⑤ Rasier-steckdose ⑥ Lichtschalter ⑦ Nicht öffnen, bevor der Zug hält! ⑧ Sitzplatz für Schwer-beschädigte

heavily damaged

einschalten - ~~aufgeben~~ - rauchen - trinken - hinauswerfen - sitzen - öffnen - sich rasieren

① Hier kann man sein Gepäck aufgeben. / Hier können Sie Ihr Gepäck aufgeben.

② _____

_____

X

Ü 3 Ergänzen Sie und fragen Sie bitte 🔑

3

Beispiel:

Wir __möchten__ } rauchen.   __Dürfen__ wir } hier rauchen?
Ich __möchte__   __Darf__ ich

1. *Ich möchte* Sie zum Essen einladen. 2. *Wir möchten* mit dir ins Kino gehen. 3. ... ... Ihnen
ein Angebot machen. 4. ... ... dich um Hilfe bitten. 5. ... ... mir dein Fahrrad
leihen. 6. ... ... dir ein Taxi rufen. 7. ... ... dich nach Hause bringen.
8. ... ... dir einen Rat geben.

advice   give
counsel

1. Ich möchte... . /Darf ich Sie ...?
2.

Ü 4 Was sehen/sagen/glauben/wissen/meinen ... Sie/sie?
Machen Sie Sätze mit "daß"

4

Beispiel: **1. Sie haben gesagt, daß sie** bis einen Tag nach Weihnachten in Berlin **sind.**

1.		Wir sind bis einen Tag nach Weihnachten in Berlin.
2.		Der Einbrecher ist durch das Fenster in die Wohnung gestiegen.
3.		Wir brauchen 800 Mark für die Miete.
4.		Angeln ohne einen Angelschein ist verboten.
5.		Das Auto fährt gegen die Wand.
6.		Rocko schaut um die Ecke.

2. Ich habe gesehen, daß...

schauen
= look, see

7.	Mustafa kommt aus der Türkei.
8.	Er war beim (= bei dem) Arzt.
9.	Der Supermarkt liegt gegenüber dem Rathaus.
10.	Wir fahren mit dem Auto.
11.	Der Tannenbaum ist mit Kerzen geschmückt. *adorn* *schmücken*
12.	Er ist nach dem Frühstück in die Stadt gefahren.
13.	Er sucht seinen Ring schon seit einer Stunde.
14.	Er kommt vom (= von dem) Arzt. *change to past*
15.	Die Ferien dauern vom achtzehnten Juni bis zum dritten August.
16.	Der Fuchs läuft zum (= zu dem) Raben. *Run*

Ü5 Ergänzen Sie bitte die Modalverben und die Verben

Die Einladung und ...

Liebe Elke,

am Freitag, dem 14. September, *wollen*

wir den dreißigsten Geburtstag von

Peter *feiern* . Dazu *wollen* (möchten) wir

Dich herzlich *einladen* . Wir *wollen* (möchten)

Sollen (möchten) um sechs Uhr *beginnen* .

Kannst Du mit der Bahn *kommen* ?

Du *Kannst* auch bei uns *übernachten* ,

wenn Du *Kommst* . magst möchtest? sp.

Herzliche Grüße

Deine Eva und Peter

> einladen - beginnen - kommen -
> übernachten

... die Antwort

Liebe Eva, lieber Peter,

herzlichen Dank für Eure Einladung.

Am Freitag *kann* ich leider nicht

Kommen , denn ich *will* muß zu

meinem Bruder nach Hamburg; seine Frau

muß heute ins Krankenhaus. abe = emotion

Ich *möchte* soll ✓ ab morgen eine Woche lang from + dat

ihre Kinder *versorgen* .

Herzliche Grüße

Eure Elke

> kommen - versorgen = ✗ look after

(handschriftliche Notizen rechts:) Ich soll = she told me to do it. outside view perspective inside — Ich muß = I have accepted the order

Ü6 Schreiben Sie bitte eine Einladung an ...

Stichwörter:

nächsten Samstag

Freundin

aus Frankreich

Party mit Freunden

dazu herzlich einladen

um 19.30 Uhr

übernachten

schreiben oder anrufen

> *Liebe (r)* Peter ——— ,
>
> am nächsten Samstag meine Freundin kommt aus
> Frankreich kommt
> Ich will ich party mit meinen Freunden feiern
> Du kannst übernachten, wenn
>
> *Herzliche Grüße*

Ü7 Schreiben Sie einen Antwortbrief:

a) Sie können kommen
b) Sie können nicht kommen

Ich möchte dich dazu herzlich einladen

Ich will um 19.30 Uhr beginnen
Du kannst übernachten, wenn du magst
Kannst du schreiben oder anrufen?

> *Liebe (r)...* ——— ,

1/2 Ü1 **a)** Lesen Sie die Geschichte
b) Unterstreichen Sie alle Verbformen im Text
c) Schreiben Sie den Infinitiv Präsens dieser Verben neben den Text. (Benutzen Sie ein Lexikon)

Die Geschichte von Tante Mila und dem Patentbesenverkäufer

„Patentbesen"
Besen
Stiel
Wassersack
Rohr
Schrubber
„Nässe"

„der Mann mit dem Patentbesen"
Schnurrbart
Mila
„Putzwasserteich"

sein So <u>war</u> es, als der Mann mit dem Patentbesen zu Mila <u>kam</u>: *kommen*
Er war ein besonders freundlicher Mann mit einer leisen
Stimme und sanften Augen und einem dünnen blonden
haben Bart. Den Patentbesen <u>hatte</u> er selbst <u>erfunden</u>. Man konnte *erfinden*
5 mit der einen Seite <u>kehren</u>, an der anderen Seite <u>war</u> ein *hängen*
Schrubber, und in der Mitte <u>hing</u> ein Wassersack, den
konnte man <u>abknöpfen</u>. An der Schrubberseite war der *drücken*
Stiel ein Rohr, und wenn man auf den Wassersack <u>drückte</u>,
<u>floß</u> das Putzwasser durch das Rohr und den Schrubber
10 auf den Fußboden.

Niemand in der Blaufärberstraße <u>wollte</u> diesen Patentbesen
haben, eigentlich auch Mila nicht, aber der Mann <u>sah</u> so *sehen*
traurig aus, und er <u>wollte</u> so gern seine Erfindung <u>vorfüh-</u> *demonstrieren*
ren, darum <u>ließ</u> Mila sich alles von ihm zeigen: das Kehren,
15 das Schrubben und die Sache mit dem Wassersack. Ihre
Küche <u>sah</u> aus wie ein Putzwasserteich. Mila <u>rief</u>: »Aber
dann <u>muß</u> man ja alles wieder <u>aufwischen</u>!«

»Ja«, sagte der Mann. »Das sagen sie alle.« Und er <u>sah</u> noch
trauriger aus als vorher, wie er da mitten in der Nässe <u>stand</u>,
20 und seine Hosenbeine <u>trieften</u>[1] und sein Schnurrbart <u>zit-</u>
<u>terte.</u>

zittern = to tremble

tropfen = to drip, drop

(handwritten: schämen, sich.)

(handwritten: ashamed)

Mila schämte sich, weil sie gesagt hatte, was alle sagen. *(handwritten: pres.)*
Sie fragte: »Wie viele haben Sie noch?«

(handwritten: werden = to become)

25 »Zehn«, sagte der Mann. »Ich habe noch keinen einzigen
verkauft.« Er wurde rot, so peinlich war ihm das.

(handwritten: Chin up) *(handwritten: embarassing)*

»Kopf hoch!« rief Mila. »Unverhofft kommt oft!² Ich
nehme alle!« Sie gab dafür wieder ihr letztes Geld aus.

(handwritten: on it)

(handwritten: Unexpected comes often)
(handwritten: ausgeben = to spend)

1 triefen: tropfen
2 "Unverhofft kommt oft!": Oft kommt das, was man nicht erwartet (nicht erhofft).

Ü 2 Lesen Sie noch einmal genau die Zeilen 5–10 der Geschichte von Tante Mila und dem Patentbesenverkäufer:
a) Zeichnen Sie nach der Beschreibung den Patentbesen
b) Was kann man mit dem Besen machen? Erklären Sie bitte

Ü 3 Erzählen Sie die Geschichte von Tante Mila und dem Patentbesenverkäufer:
a) Sie sind Erzähler/Erzählerin
b) Sie sind Patentbesenverkäufer/Patentbesenverkäuferin
c) Sie sind Tante Mila

Ü 4 Schreiben Sie eine neue Geschichte: "Tante Mila und der Kopfpflegemaschinenverkäufer"

Kamm

Gewicht

Bohrmaschine

Zahnbürste

Haken

Zähne

4 Ü5 **Lesen Sie zuerst Seite 27 im Lehrbuch.**
Bearbeiten Sie dann die folgenden Aufgaben

a) Hören Sie zunächst den ganzen Text 10A4, Übung 8

Über welche Zeit in seinem Leben spricht Klaus Haase?

Über die Zeit von _____ bis _____.

b) Hören Sie den Anfang des Textes und ergänzen Sie den folgenden Lückentext

Ja, und ___ _____ Ausbildung und beruflichen Tätigkeit _____ ich

Ihnen _____ etwas _____ : _____ 1966 _____ '69 _____ ich in

Berlin _____, _____ der Freien Universität, _____ _____ Ger-

manistik und Anglistik; und das _____ habe ich _____ von _____

bis _____ in _____ an der Ludwig-Maximilians-Universität

_____ . Dann _____ ich mein Studium erst einmal

_____ und _____ _____ _____ als Fremdenführer

_____ das Amtliche Bayerische Reisebüro _____ München _____.

c) Hören Sie weiter und beantworten Sie die folgenden Fragen

a) Was hat Klaus Haase in den Jahren 1970 - 1971 gemacht?

b) Was hat er "nebenher" noch gemacht?

d) Hören Sie den Schluß des Textes und ergänzen Sie die folgende Zusammenfassung

V____ '72 b___ '77 h___ Klaus Haase Deu_____ als Fr_____ f_____

Ga_____ unt_____ . 1977 h_____ er s_____

St_____ wieder aufg_____ und das Examen gem_____ .

Dan_____ , v____ '77 b___ '79, h___ er als Lek_____ für Ver_____ und

Rundfunkanstalten gea_____ ; nebenher h_____ er e_____

Schauspielausb_____ in Ber_____ und M_____ gem_____ .

Ü 6 Lesen Sie den Lebenslauf von Wolfgang Planck und ergänzen Sie den folgenden Text 🔑

LEBENSLAUF

Angaben zur Person:
Wolfgang Planck
Brantropstr. 66, 4630 Bochum
Tel.: 0234/70 21 47

Geburtstag/-ort: 29. Sept. 1959 in Düsseldorf
Staatsangehörigkeit: deutsch
Familienstand: verheiratet, 1 Kind
Religion: römisch-katholisch
Eltern: Josef Planck, Andrea Planck, geb. Silbernagel

Schulbildung:
1965 - 1969 Grundschule Düsseldorf-Bilk
1969 - 1975 Heinrich-Heine-Gymnasium, Düsseldorf
Abschluß: Juni 1975 Mittlere Reife

Berufsausbildung:
1975 - 1978 Schreinerlehre bei der Fa. Wilh. Schäfer & Co KG, Düsseldorf; während der Lehrzeit Kurs für Technisches Zeichnen an der VHS Düsseldorf
Abschluß: März 1978 Gesellenprüfung
1978 - 1979 (März bis Oktober) Zivildienst in der Universitätsklinik, Düsseldorf
1979 - 1981 (November bis März) Bauzeichner im Architekturbüro Raumer, Düsseldorf, gleichzeitig Besuch der Abendschule
Abschluß: Januar 1981 Technikerprüfung
1981 - 1984 Studium an der Ingenieurschule für Bauwesen in Münster, Fachrichtung Architektur
Abschluß: April 1984 Ingenieur grad.

Berufstätigkeit:
seit Mai 1984 angestellt als Ingenieur im Amt für Stadtentwicklung und Stadtplanung in Bochum

---

Wolfgang Planck wurde

am _____

als Sohn von _____

_____ und _____

_____ (geborene

_____) in

_____

geboren.

Von 1965 bis 1969 besuchte er die _____

_____ .

Von 1969 bis 1975

_____ er das _____ in _____ .

Er schloß seine Schulbildung mit der " _____ " ab.

Danach (von 1975 bis 1978) _____ er eine _____

bei der Firma Wilh. Schäfer & Co KG. Außerdem nahm er an einem _____

_____ an der _____

teil.

Seine Schreinerlehre _____ er mit der Gesellenprüfung _____ .

Von März 1978 bis _____ leistete er Zivildienst an der _____

_____ in Düsseldorf.

Von 1979 bis 1981 _____ er als Bauzeichner im Architekturbüro Raumer.

Gleichzeitig _____ er die _____ .

Von 1981 bis 1984 _____ er an der _____ in Münster

das Fach _____ . Das Studium _____ er mit dem Ingenieur-Examen

_____ .

Seit Mitte Mai 1984 ist er als _____ im Amt für Stadtentwicklung und

Stadtplanung in Bochum _____ .

Ü 7 Schreiben Sie diesen Lebenslauf in der Ich-Form

Am 29. September 1959 wurde ich _____

Ü 8 Schreiben Sie Ihren eigenen Lebenslauf

a) in tabellarischer Form

Angaben zur Person:	Schulbildung:
Geburtstag/-ort:	
Staatsangehörigkeit:	Abschluß:
Familienstand:	Berufsausbildung:
Religion:	
Eltern:	Abschluß:
	Berufstätigkeit:

b) in ganzen Sätzen

LEBENSLAUF

Am _____
wurde ich als Sohn/Tochter
von _____

_____

in _____
geboren. _____

Ü 9 Geben Sie den Lebenslauf von Hanna Gall in ganzen Sätzen wieder

Lebenslauf

Angaben zur Person: Hanna Gall
Hauptstr. 27/I
8044 Unterschleißheim
Tel. 089 / 3 10 42 67

Geburtstag/-ort: 27.03.1960 in Bayreuth

Staatsangehörigkeit: deutsch
Familienstand: ledig
Religion: evangelisch-lutherisch
Eltern: Marianne Gall, geb. Wich
Ludwig Gall

Schulbildung: 1966 - 70 Pestalozzi-Grund-
schule Kulmbach
1970 - 79 Neusprachliches
Gymnasium Kulmbach
Juli 1979 Abitur

1979 - 85 Studium der Fächer
Englisch und Franzö-
sisch an der Universi-
tät Erlangen-Nürnberg

Abschluß: 1985 Staatsexamen, M. A.

Berufsausbildung/
Berufstätigkeit: 1985 - 86 Praktikum, anschließend
Redakteurin für fremd-
sprachliches Lehrma-
terial im Oldenbourg
Verlag, München

seit 10/86 Redakteurin in der
Romanistik-Redaktion
des Langenscheidt-Ver-
lags, München; zustän-
dig für die Entwick-
lung von Lehrwerken
für Erwachsene

Ü 10 Lesen Sie den Anfang des folgenden Märchens und schreiben Sie den Schluß dazu

①

②

③

Hans im Glück

Hans hatte sieben Jahre bei einem Müller gearbeitet. Nun wollte er wieder nach Hause. "Sieben Jahre sind eine lange Zeit", sagte er eines Morgens zu seinem Meister, "ich möchte meine Mutter wiedersehen. Bitte gib mir meinen Lohn und laß mich gehen!" Der Müller ging zu seinem Geldkasten und nahm den Lohn heraus. "Hier ist dein Lohn", sagte er zu Hans und gab ihm einen Klumpen Gold, so groß wie sein Kopf.
Hans steckte den Goldklumpen in einen Sack, nahm seinen Wanderstock und marschierte los.

Der Weg war steil, die Sonne war heiß, das Gold war schwer: Hans wurde langsam müde.
Da kam ein Reiter den Weg entlang. Hans dachte: "Der Reiter hat es gut; er braucht keine Last auf dem Rücken zu tragen wie ich."
"Was hast du da?" fragte der Reiter. "Einen Klumpen Gold", antwortete Hans, "aber der ist mir viel zu schwer."
"Wenn du willst, können wir tauschen", sagte der Reiter. "Abgemacht", antwortete Hans. Hans gab dem Reiter das Gold, stieg auf das Pferd und ritt los.
Aber schon bald merkte das Pferd, daß Hans kein richtiger Reiter war, und warf ihn ab.

Ein Bauer, der auf der Wiese seine Kuh melkte, fing das Pferd und half Hans wieder auf die Beine.
Hans war sehr durstig. "Du hast es gut", sagte er zu dem Bauern, "du hast eine Kuh; immer wenn du durstig bist, hast du Milch und außerdem Käse und Butter."
"Ja, eine Kuh ist ein nützliches Tier", antwortete der Bauer, "wenn du willst, können wir tauschen: Du gibst mir das Pferd, und ich gebe dir die Kuh dafür." "Abgemacht", sagte Hans.
Er setzte sich hin; er wollte die Kuh melken. Die Kuh aber merkte, daß Hans kein richtiger Bauer war und nicht richtig melken konnte: Deshalb gab sie ihm einen Tritt. ...

Bitte verwenden Sie zum Schreiben die Bilder und Stichwörter auf S. 24 – 25.

④ Mann mit Schwein - groß und fett - (?) -
Hans am Boden, stöhnen - (Getreten?) - (Kuh vielleicht schon alt?)
(Schwein haben!) - (Tauschen?) - (o.k.!) - Schwein eigensinnig:

immer in andere Richtung laufen - Hans verzweifelt

⑤ Frau - Gans - Hans ∘∘∘ (Gut: Eier, Federn, Braten
— kein Ärger mit Schwein)

(Tausch?) - (Natürlich!)

⑥ Scherenschleifer (= ein Mann, der Scheren und Messer

scharf macht) - lustig, Funken, Geld dafür! -

(Schöne Gans! Woher?) - (Viel Glück!)   Hans: ganze Geschichte:

(Toll! Guter Geschäftsmann! Meine Arbeit?)

Gold, Pferd, Kuh, Schwein, Gans -

(Schleifstein?)   - Tausch: gewöhnlicher Pflasterstein ←→ Gans

⑦ Brunnen - durstig - trinken - Stein in Brunnen

⑧ Hans (Hurra! Glück! Endlich frei!
Nichts mehr zu tragen!) -

fröhlich nach Hause.

④

⑤

④ Da kam ein Mann mit einem Schwein; das Schwein war groß und fett. Der Mann fragte Hans: "Was ist denn los?" Denn Hans lag am Boden und stöhnte. "Die Kuh hat mich getreten", antwortete Hans. "Vielleicht ist die Kuh schon alt?" meinte der Mann. "Du hast es gut", sagte Hans, "so ein schönes, fettes Schwein möchte ich auch gern haben." "Wollen wir tauschen?", fragte der Mann. "Gerne," rief Hans, und sie tauschten.

Hans zog mit dem Schwein weiter. Das Schwein aber wollte nicht so, wie Hans wollte. es lief immer in eine andere Richtung. Hans war verzweifelt. ...

Rudolf Otto Wiemer

starke und schwache Verben

ich trete
ich trat
ich habe getreten

ich schäme mich
ich _schämte_ mich
ich _____ mich _____

ich weiß gründe
ich _____ gründe
ich _____ gründe _____

ich bereue
ich _____
ich _____

ich falle auf die Füße
ich _____ auf die Füße
ich _____ auf die Füße _____

ich lerne dazu
ich _____ dazu
ich _____ dazu _____

ich komme hoch
ich _____ hoch
ich _____ hoch_____

ich ändere mich
ich _____ mich
ich _____ mich _____

ich pfeif drauf
ich _____ drauf
ich _____ drauf _____

ich sage jawoll
ich _____ jawoll
ich _____ jawoll _____

ich trete
ich trat
ich werde treten

Ü1   Regelmäßige Verben: Bilden Sie das Präteritum (3. Singular) 🔑   **1**

___/(e)t/e	___/(e)t/e ___	___/(e)t/e
kauf/t/e	*kauf/t/e* *ein*	*verkauf/t/e*
arbeit/et/e		

leben, ~~arbeiten~~, einkaufen,	~~kaufen~~, fehlen, zeigen,	ergänzen, brauchen, wohnen,
verdienen, (sich) freuen,	besuchen, kosten, stöhnen,	aufmachen, reden, holen,
meinen, antworten, angeln,	erzählen, suchen, dauern,	machen, ausräumen, schicken,
zunähen, flirten, zukleben,	stecken, einpacken,	haben, sagen, übernachten,
spielen, hören, nachschauen,	kaputtmachen, können,	kochen, fragen, schwitzen,
~~verkaufen~~, lernen, erobern,	feiern, warten, lachen,	gehören, erzählen, müssen,
schützen, marschieren,	landen, bauen, bestellen	zeigen, wollen, stellen
suchen		

Ü2   Unregelmäßige Verben: Bilden Sie das Präteritum (3. Singular) und das Perfekt (3. Singular) 🔑 **2**

....	ge/........en
....	.... /en
....	.... /ge/ .... /en

①			
	a) bleiben	*blieb*	*ist geblieben*
	schreiben	*schrieb*	*had geschrieben*
describe	beschreiben	*beschrieb*	*hat beschrieben*
write down	aufschreiben	*schrieb auf*	*hat aufgeschrieben*
get in	einsteigen	*stieg ein*	*ist eingestiegen*
change	umsteigen	*stieg um*	*ist umgestiegen*
get out	aussteigen	*stieg aus*	*ist ausgestiegen*
	scheinen	*schien*	*hat geschienen*

– ei –	**– ie –**	**– ie –**

b) schneiden   _schnitt_   _hat geschnitten_

aufschneiden   _schnitt auf_   _hat aufgeschnitten_

unterstr<u>ei</u>chen   _strich unter_   _hat untergestrichen_

angr<u>ei</u>fen   _griff an_   _hat angegriffen_

| **-ei-** | **-i-** | **-i-** |

② a) schl<u>ie</u>ßen   _schloß_   _hat geschloßen_

verl<u>ie</u>ren   _verlor_   _hat verloren_

anz<u>ie</u>hen   **zog an**   _hat angezogen_

| **-ie-** | **-o-** | **-o-** |

③ a) tr<u>i</u>nken   _trank_   _hat getrunken_

f<u>i</u>nden   _fand_   _hat gefunden_

spr<u>i</u>ngen   _sprang_   _ist gesprungen_

s<u>i</u>ngen   _sang_   _hat gesungen_

| **-i-** | **-a-** | **-u-** |

b) beg<u>i</u>nnen   _begann_   _hat begonnen_

schw<u>i</u>mmen   _schwamm_   _ist geschwommen_

| **-i-** | **-a-** | **-o-** |

④ a) spr<u>e</u>chen   _sprach_   _hat gesprochen_

k<u>o</u>mmen   _kam_   _ist gekommen_

zurückk<u>o</u>mmen   _kam zurück_   _ist zurückgekommen_

wegw<u>e</u>rfen   _warf weg_   _hat weggeworfen_

h<u>e</u>lfen   _half_   _hat geholfen_

| **-e/o-** | **-a-** | **-o-** |

b) <u>e</u>ssen — aß — *hat gegessen*

verg<u>e</u>ssen — vergaß — hat vergessen

| -e- | -a- | -e- |

⑤ a) n<u>e</u>hmen — nahm — hat genommen

mitn<u>e</u>hmen — nahm mit — hat mitgenommen

wegn<u>e</u>hmen — nahm weg — hat weggenommen

| -e- | -a- | -o- |

b) l<u>e</u>sen — las — hat gelesen

s<u>e</u>hen — sah — hat gesehen

g<u>e</u>ben — gab — hat gegeben

l<u>ie</u>gen ⚠ — lag — hat gelegen

ask for b<u>i</u>tten ⚠ — bat — hat gebeten

| -e- | -a- | -e- |

⑥ h<u>e</u>ben *eft* — hob — hat gehoben

| -e- | -o- | -o- |

⑦ a) schl<u>a</u>fen — schlief — geschlafen

anf<u>a</u>ngen — fing an — angefangen

aufh<u>a</u>lten — hielt an — angehalten

liegenl<u>a</u>ssen — *ließ liegen* — *hat liegengelassen*

verl<u>a</u>ssen — verließ — hat verlassen

| -a- | -ie/i- | -a- |

b) fahren — _fuhr_ — _ist gefahren_

abfahren — _fuhr ab_ — _ist abgefahren_

carry tragen — _trug_ — _hat getragen_

break open pick auf|schlagen — _schlug auf_ — _hat aufgeschlagen_

–a–	**–u–**	**–a–**

⑧ rufen — _rief_ — _hat gerufen_

anrufen — _rief an_ — _hat angerufen_

run laufen — _lief_ — _ist gelaufen_

run away weg|laufen — _lief weg_ — _ist weggelaufen_

back zurück|laufen — _lief zurück_ — _ist zurückgelaufen_

–u/au–	**–ie–**	**–u/au–**

⚠ gehen — _ging_ — _ist gegangen_

stehen — _stand_ — _hat gestanden_

tun — _tat_ — _hat getan_

sein — _war_ — _ist gewesen_

haben — _hatte_ — _hat gehabt_

werden — _wurde_ — _ist geworden_

Ü 3 Wie heißen die Infinitive? 🔑

war (not pleas.) 1. _fallen_ , fiel, *imperf* gefallen

ask for 2. _gefallen_ , gefiel, gefallen

3. _bitten_ , bat, gebeten

4. _reiten_ , ritt, geritten

5. _laden_ , lud, geladen

catch 6. _fangen_ , fing, gefangen

7. _halten_ hielt, gehalten

8. _schließen_ schloß, geschlossen

throw 9. _werfen_ warf, geworfen

to grind 10. _schleifen_ schliff, geschliffen

11. _liegen_ lag, gelegen

12. _untergehen_ ging unter, ist untergegangen

beten = to pray betete gebetet

Ü 4 Ergänzen Sie die fehlenden Verben

Die Geschichte von Tante Milas Hausreinigungsfirma

So _war_ es, als die zehn Patentbesen in Tante Milas Küche _standen_

_____ : Immer _fielen_

sie _um_, und Mila _fiel_

über die Stiele.

umfallen ⇄ always changes wird

"Verschenken Sie die Dinger!"

sagte Herr Samsohl. [...]

"Wollen Sie einen?" _fragte_

Mila. Natürlich _wollte_ er

keinen.

Am Tag darauf _hatte_ Mila eine

Idee: Sie _wollte_ eine Hausreinigungsfirma gründen, [...] Sie _erzählte_ das allen Leuten,

so begeistert _war_ sie. [...] Sie _setzte_ eine Anzeige in die Zeitung: "Junge Mädchen gesucht für

Hausreinigungsbetrieb mit Patentbesen." [...]

Von guten Freunden _wollte_ Mila kein Geld nehmen, und weil sich kein junges Mädchen _meldete_

putzte, sie nun jeden Tag bei den Hausnachbarn. Dabei _verdiente_ sie aber nichts,

und sie _hatte_ kaum noch Zeit fürs Malen.

> ~~sein~~ - stehen - umfallen - fallen - sagen - fragen -
> wollen - haben - wollen - erzählen - sein - setzen -
> wollen - melden - putzen - verdienen - haben

Ü 5 Ergänzen Sie die Verben im Präteritum 🗝

Die letzte Geschichte von Tante Mila und den Patentbesen

Tante Mila _war_ im Kaufhaus. Ihre Patentbesen _____ _standen_ neben anderen Besen.

"Was sind das für Besen?" _fragte_ Tante Mila die Verkäuferin. "Oh, das ist etwas ganz Neues!" _sagte_ _antwortete_ die Verkäuferin, "diese Besen müssen Sie unbedingt ausprobieren!"
at all costs   _test it out_

"Nein, danke!" _sagte_ Tante Mila und _ging_ fort.

Not in order

antworten - (fort)gehen - fragen - sagen - ~~sein~~ - stehen

3 **Ü 6** Ergänzen Sie die Verben im Plusquamperfekt 🗝

Die vorletzte Geschichte von Tante Mila und den Patentbesen

Wie aber _waren_ die Patentbesen ins Kaufhaus _gekommen_ ? Ganz einfach: Tante Mila _hatte_ schon bald keine Lust mehr _gehabt_ , mit ihren Patentbesen bei den Nachbarn zu putzen. Deshalb _hatte_ sie ihre Firma _geschlossen_ (_zugemacht_). Sie _hatte_ die Besen auf einen Wagen _geladen_ , _war_ mit ihnen zur Brücke _gefahren_ und _hatte_ sie in den Fluß _geworfen_ . "Ab nach Holland!" _hatte_ sie _gerufen_ ; die Besen

Waren aber nicht *untergegangen* , denn die leeren Wassersäcke *halten* sie oben *gehalten* . Dann *war* ein Schiff *gekommen* : Der Kapitän *hatte* alle Besen wieder aus dem Wasser *geholt* und sie ans Ufer *gebracht* .

[bank, shore]

Schließlich *hatte* Tante Mila die Besen *genommen* und sie ins Kaufhaus *gebracht* .

Sie *hatte* die Patentbesen einfach neben die anderen Besen *gestellt* ; niemand *hatte* etwas *gemerkt* .

Nun standen sie da ..... .

Und wenn sie niemand gekauft hat, dann stehen sie da noch heute.

correct order / plup perf.

> haben - zumachen/schließen - laden *[irreg]* - fahren - werfen -
> rufen - untergehen - halten - kommen - holen - bringen -
> nehmen - bringen - stellen - merken *[notice]*

Ü7 Nebensätze, Nebensätze, Nebensätze: Ergänzen Sie die Verben und die Konjunktionen

4–6

1. JAHR 2. JAHR 3. JAHR 4. JAHR 5. JAHR 6. JAHR 7. JAHR

Hans im Glück

1. *Nachdem* Hans sieben Jahre lang bei einem Müller *gearbeitet hatte* , *wollte* er wieder nach Hause.

2. _____ er den Müller um seinen Lohn

_____ , _____ der Müller

zu ihm: "Hier ist dein Lohn" und _____ ihm einen Klumpen Gold.

nachdem

bitten, sagen

geben

3. _____ Hans die Straße entlang_____,

_____ er langsam müde.

während	gehen
werden	

4. _____ der Reiter Hans _____:

"Was hast du da?" und Hans _____:

"Einen Klumpen Gold, aber der ist viel zu schwer", _____
sie.

nachdem	fragen
antworten	
tauschen	

5. _____ Hans eine Weile auf dem Pferd _____

_____, _____ das Pferd,

_____ Hans kein Reiter _____, und _____ ihn ab.

nachdem	
reiten, merken	
daß	sein, abwerfen

6. _____ ein Bauer das Pferd von Hans _____

_____, _____ Hans zu ihm:

"Du hast es gut, _____ du durstig _____,

_____ du Milch und außerdem Käse und Butter.

nachdem	
fangen, sagen	
immer wenn	sein
haben	

7. _____ Hans die Kuh melken _____, _____

sie ihm einen Tritt, _____ er _____.

als	wollen, geben
so daß	hinfallen

8. _____ Hans noch auf dem Boden _____,

_____ ein Mann mit einem Schwein daher.

während	liegen
kommen	

9. _____ der Mann mit dem Schwein zu Hans _____

_____: "Wer weiß, vielleicht ist die Kuh

schon alt und gibt nur noch wenig Milch!", _____
Hans mit dem Mann die Kuh gegen das Schwein.

nachdem	
sagen	
tauschen	

10. Hans _____ verzweifelt, _____ das Schwein immer

in eine andere Richtung _____.

sein	weil
laufen	

11. Hans _____ sein Schwein gegen eine Gans,

_____ er dachte: "Dann habe ich Eier für das Frühstück, Federn für das Bett und einen Braten zu Weihnachten!"

12. _____ Hans _____,

_____ er einen Scherenschleifer (ein Scherenschleifer ist ein

Mann, der Scheren _____, _____ sie wieder scharf

_____).

13. Hans _____ die Gans gegen einen Stein, _____

ihm der Beruf des Scherenschleifers so gut _____.

14. _____ Hans an einem Brunnen Wasser _____,

_____ der Stein in den Brunnen.

15. _____ Hans alles _____,

_____ er: "Nun bin ich endlich frei!" und _____ froh nach Hause.

tauschen
weil

während   weitergehen
sehen
schleifen   so daß
sein
tauschen   weil
gefallen
als trinken
fallen
nachdem   verlieren
rufen , laufen

1 | Ü1 | **Was sagen die Leute?**
Schreiben Sie Dialoge zu den Bildern ①, ② und ③

①  ②

Wie finden Sie das ..... ❓	– Phantastisch!	– Das finde ich nicht!
findest du den	– Toll!	– So?
die ..... ❓	– Prima!	– Wirklich?
	– Sehr gut!	
	– Gut!	– Stimmt!
Wie gefällt Ihnen dieses ..... ❓	– Es geht.	– Da haben Sie recht!
dir dieser	– Etwas langweilig.	– Das finde ich auch!
diese ..... ❓	– Nicht so gut.	– Wirklich!
	– Schlecht.	– Ganz richtig!
	– Scheußlich!	

Was für Gepäck haben Sie?	– Eine Tasche und ein Paket.
Was für ein Koffer ist das?	– Ein großer schwarzer.

③

Ü2 Was ist was? Benutzen Sie ein Lexikon

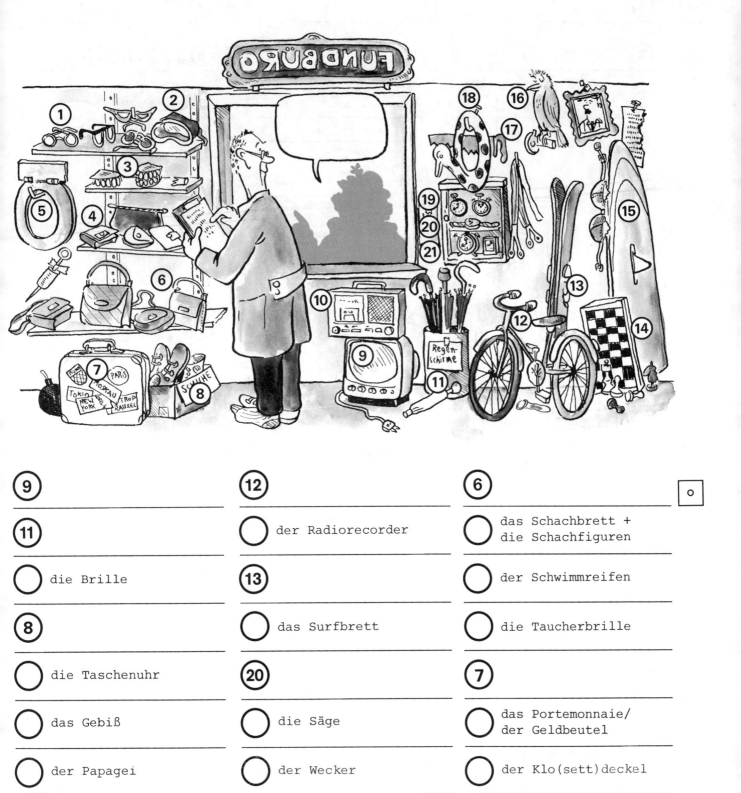

⑨ _____	⑫ _____	⑥ _____	○
⑪ _____	◯ der Radiorecorder	◯ das Schachbrett + die Schachfiguren	
◯ die Brille	⑬ _____	◯ der Schwimmreifen	
◯ _____ ⑧	◯ das Surfbrett	◯ die Taucherbrille	
◯ die Taschenuhr	⑳ _____	⑦ _____	
◯ das Gebiß	◯ die Säge	◯ das Portemonnaie/ der Geldbeutel	
◯ der Papagei	◯ der Wecker	◯ der Klo(sett)deckel	

Ü3 Sie haben etwas verloren und sprechen mit dem Mann im Fundbüro. Schreiben Sie den Dialog

das Monokel (-)   der
11A _____ Ledergürtel (-)   Ich trage eine Brille.
Ich Sie trägt   Brillenträger

2 **Ü4**   **Wie heißen die Kleidungsstücke auf deutsch?** 🔑

① _____	④ _____	⑦ die _____
② karierl _____	⑤ _____	⑧ das Unterhemd
③ _____	⑥ _____	⑨ _____

der Rollkragenpullover
das rosa
Oberteil
die
Strumpfhose (n)
= tights

bunt =
multicoloured

der Faltenrock
= pleated
skirt

der
Schlüpfer (-)

⑩ der Unterrock	⑬ die Socke (n) der Socken -	⑯ der Hut
⑪ der Schal	⑭ der Büstenhalter	⑰ der Pullunder
⑫ die Kravatte der Schlips	⑮ die Mütze	⑱ das Hemd

Ü5   **Was sehen Sie noch auf dem Bild? Notieren Sie bitte**

Ü6   **Malen Sie die Farben bitte**

| weiß ☐ | gelb ☐ | rot ☐ | schwarz ☐ | grün ☐ | blau ☐ |
| beige ☐ | orange ☐ | braun ☐ | grau ☐ | light hellblau ☐ | dunkelblau ☐ |

passen = to fit + dat.
stehen = to suit + dat
passen zu = " " + dat

11A ✓

Ü 7 Schreiben Sie Gespräche / Dialoge

3 Ü8 a) Rekonstruieren Sie das Gespräch (──▶ Lehrbuch S. 46)
b) Schreiben Sie ein neues Gespräch

- | 50. | oo | Hübsch! |
  | | o | Blau? |
- | Nein. |
  | | o | Kostet? |
- | 98. Weich! |
  | | o | ... |

5 Ü9 Richtig oder falsch? Kreuzen Sie bitte an

	richtig	falsch
1. Ihr gefällt der Pullunder nicht.		
2. Er wollte eine blaue Weste kaufen.		
3. Die Westen gefielen ihm alle.		
4. Sie sagt, daß Westen jetzt ganz modern sind.		
5. Er hat viele Westen anprobiert, und die passen alle zu seinem neuen Jackett.		
6. Sie probiert den Pullunder an – und behält ihn für sich.		
7. Sie will ihm eine Weste kaufen.		
8. Er ist einverstanden.		

Ü10 Hören Sie das Gespräch im Textilgeschäft und bearbeiten Sie die folgenden Aufgaben

a) Lesen Sie bitte zuerst den folgenden Text:

Er ist in einem Textilgeschäft.
Er will sich eine blaue Weste
zu seinem neuen Jackett kaufen.
Der *Verkäufer* weiß sofort:
Blaue Westen haben wir nicht.
Aber vielleicht kann er dem
Herrn einen Pullunder ver-
kaufen?
Gelingt ihm das? Was glauben Sie?

b) Ergänzen Sie bitte

● Ka _nn_ ich Ihnen he _lfen_ ?

o Ich su_____ eine bl_____ We_____ zu diesem Jack_____.

● Eine Weste, eine blaue Weste, Mom_____. Sch_____ w_____ mal.

Ja, da s_____ sie - n_____. Aug_____! Übrigens, pro_____

Sie doch mal die_____ Pull_____.

o Ich m_____ k_____ P_____;

ich su_____ eine Weste!

● Ja, ja, ich w_____. Es ist nur wegen der Grö_____.

Ich brau_____ Ihre Gr_____. Pro_____ Sie

doch bitte mal! So, s_____ sch_____, nicht wahr?

o Na ja, n_____ schl_____. Aber jetzt

zei_____ Sie mir mal eine blaue Weste!

● Neunund_____ Mark, reine Wo_____, ni_____ teu_____.

o Sch_____, das ist wirk_____ n_____ zu t_____. Aber j_____

z_____ Sie mir eine blaue Weste! Oder haben Sie k_____?

● Ja, also, das ist so: Wir haben k_____ W_____ mehr.

o K_____ W_____ mehr? Warum sa_____ Sie das n_____ gl_____?

● Se_____ Sie, Westen sind n_____ m_____ mo_____, besonders

f____ ju_____ Men_____ nicht. Erst Herr_____ ab 60, 70 ...

Dies_____ Pull_____ st_____ Ihnen wirk_____ g_____.

o Ja, er gef_____ mir ja au_____.

● Na also, der sit_____ genau ri_____, hat eine elegante wei_____ Fo_____,

schö_____ Far_____ ... Oder wo_____ Sie noch einen and_____

Pull_____ pro_____ - oder eine he_____ Weste!

o Sie h_____ also d_____ Westen? .....

c) **Beantworten Sie bitte die Fragen**

1. Was glauben Sie: Warum zeigt der Verkäufer dem jungen Mann am Schluß doch noch eine Weste?
2. Wie sieht diese Weste aus? Was kostet sie?
3. Warum nimmt der junge Mann diese Weste *nicht?*

6 Ü11   Die Geschichte vom grünen Fahrrad

a) **Rekonstruieren Sie die Geschichte**

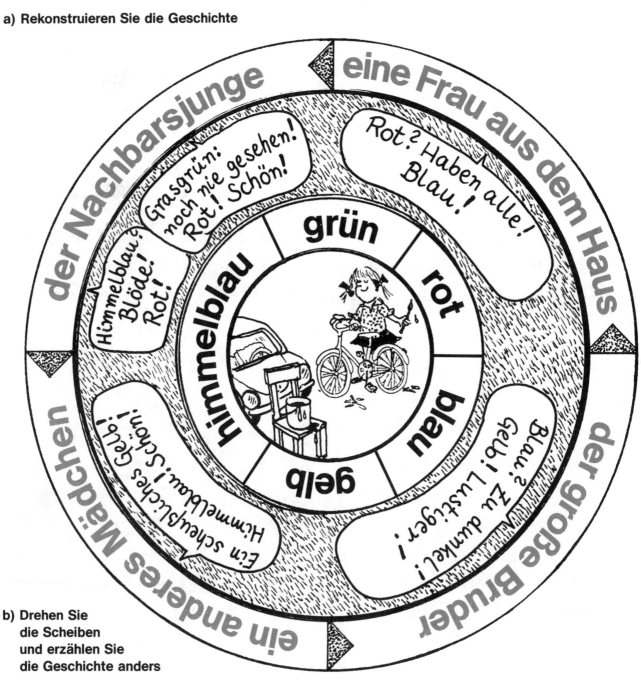

b) **Drehen Sie die Scheiben und erzählen Sie die Geschichte anders**

Ü 12 Schreiben Sie bitte den Dialog

Ü 13 Schreiben Sie bitte den Dialog

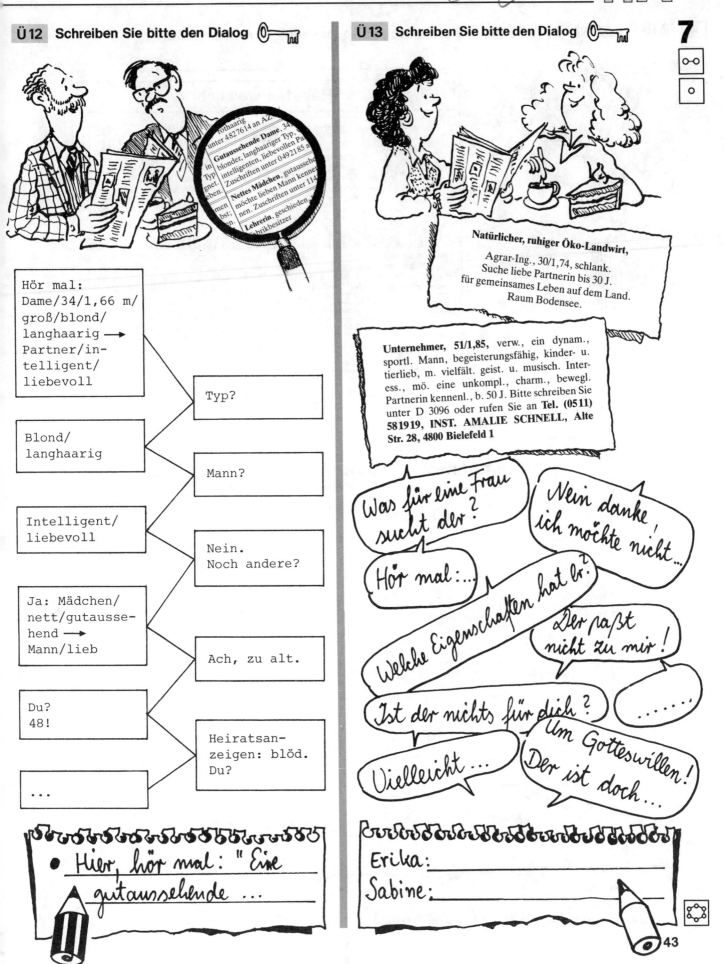

Natürlicher, ruhiger Öko-Landwirt,
Agrar-Ing., 30/1,74, schlank.
Suche liebe Partnerin bis 30 J.
für gemeinsames Leben auf dem Land.
Raum Bodensee.

Unternehmer, 51/1,85, verw., ein dynam., sportl. Mann, begeisterungsfähig, kinder- u. tierlieb, m. vielfält. geist. u. musisch. Inter-ess., mö. eine unkompl., charm., bewegl. Partnerin kennenl., b. 50 J. Bitte schreiben Sie unter D 3096 oder rufen Sie an **Tel. (0511) 581919, INST. AMALIE SCHNELL, Alte Str. 28, 4800 Bielefeld 1**

Ü 12 boxes:

Hör mal:
Dame/34/1,66 m/
groß/blond/
langhaarig →
Partner/in-
telligent/
liebevoll

Blond/
langhaarig

Intelligent/
liebevoll

Ja: Mädchen/
nett/gutausse-
hend →
Mann/lieb

Du?
48!

...

Typ?

Mann?

Nein.
Noch andere?

Ach, zu alt.

Heiratsan-
zeigen: blöd.
Du?

Ü 13 speech bubbles:

Was für eine Frau sucht der?

Nein danke, ich möchte nicht...

Hör mal:...

Welche Eigenschaften hat er?

Der paßt nicht zu mir!

Ist der nichts für dich?

......

Vielleicht...

Um Gotteswillen! Der ist doch...

Ü 12:
● Hier, hör mal: "Eine
gutaussehende ...

Ü 13:
Erika: _____
Sabine: _____

Ü 14 Lesen Sie die Anzeigen und schreiben Sie die Informationen in eine Tabelle

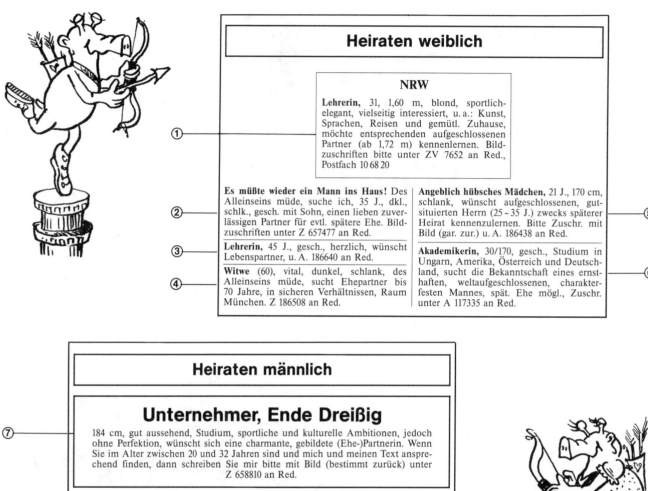

Heiraten weiblich

NRW

① **Lehrerin**, 31, 1,60 m, blond, sportlich-elegant, vielseitig interessiert, u. a.: Kunst, Sprachen, Reisen und gemütl. Zuhause, möchte entsprechenden aufgeschlossenen Partner (ab 1,72 m) kennenlernen. Bildzuschriften bitte unter ZV 7652 an Red., Postfach 10 68 20

② **Es müßte wieder ein Mann ins Haus!** Des Alleinseins müde, suche ich, 35 J., dkl., schlk., gesch. mit Sohn, einen lieben zuverlässigen Partner für evtl. spätere Ehe. Bildzuschriften unter Z 657477 an Red.

③ **Lehrerin**, 45 J., gesch., herzlich, wünscht Lebenspartner, u. A. 186640 an Red.

④ **Witwe** (60), vital, dunkel, schlank, des Alleinseins müde, sucht Ehepartner bis 70 Jahre, in sicheren Verhältnissen, Raum München. Z 186508 an Red.

⑤ **Angeblich hübsches Mädchen,** 21 J., 170 cm, schlank, wünscht aufgeschlossenen, gutsituierten Herrn (25 – 35 J.) zwecks späterer Heirat kennenzulernen. Bitte Zuschr. mit Bild (gar. zur.) u. A. 186438 an Red.

⑥ **Akademikerin,** 30/170, gesch., Studium in Ungarn, Amerika, Österreich und Deutschland, sucht die Bekanntschaft eines ernsthaften, weltaufgeschlossenen, charakterfesten Mannes, spät. Ehe mögl., Zuschr. unter A 117335 an Red.

Heiraten männlich

Unternehmer, Ende Dreißig

⑦ 184 cm, gut aussehend, Studium, sportliche und kulturelle Ambitionen, jedoch ohne Perfektion, wünscht sich eine charmante, gebildete (Ehe-)Partnerin. Wenn Sie im Alter zwischen 20 und 32 Jahren sind und mich und meinen Text ansprechend finden, dann schreiben Sie mir bitte mit Bild (bestimmt zurück) unter Z 658810 an Red.

⑧ **Akademiker,** Anfang 60/170 cm/70 kg, mit viel Liebe zu den Künsten, den alten Kulturen des Mittelmeerraumes und der Natur, möchte sein weiteres Leben in Gemeinsamkeit und im Austausch der Interessen, in Wärme und Güte und Verstehen für Fehler, mit einer entsprechenden Lebensgefährtin im In- oder Ausland verbringen. A 117720 an Red.

⑨ **Naturwissenschaftler,** Dr., 36/183, mit vielseitigen kulturellen Interessen, wünscht sich eine liebenswerte Lebenspartnerin. Bitte Bildzuschriften unt. Z 657782 an Red.

⑩ **Beamter** im höh. D., Mitte 30/179, kath., etwas Verm., Nichtraucher, sucht Ehe-Partnerin bis 28 aus guter Familie. Gesch. zwecklos. Zuschr. unter A 117267 an Red.

⑪ **Er, 27/173,** Nichtraucher, sucht liebes Mädchen (schlank) zur Ehe. Bildzuschr. unter Z 117288 an Red.

⑫ **Arzt,** 50/175, kameradschaftlich, dynamisch, wünscht sich auf diesem Wege eine adäquate Partnerin und Lebensgefährtin, mit der er noch vieles Schöne gemeinsam erleben kann. Zuschr. unter Z 657119 an Red.

Anzeige-Nr.	Wie alt? Wie groß?	Aussehen?	Was macht sie/er?	Wie soll der Partner/ die Partnerin sein?
①	31 1,60 m	blond, sportlich, elegant	Lehrerin, Sprachen, Reisen	aufgeschlossen, Sprachen, Reisen
②				

Ü 15 Antworten Sie schriftlich auf eine Anzeige

die Wohngemeinschaft en — community
die Mannschaft = team
die Seilschaft = (on one rope) — east germany
appartment = small
wohnung = large
abteilung

Wie die Deutschen wohnen

8

Ü 16 **Was für Häuser sind das? Benutzen Sie ein Lexikon**

①

④

A. Moderne Wohnblocks mit Mietwohnungen ③

B. Moderne Villa im Grünen ⑧

C. Reihenhäuser, wie man sie überall findet ◯ ◯

②

⑤

D. Alte Fachwerkhäuser (in Celle) ③

E. Alte Wohnhäuser mit Mietwohnungen ③

⑥

F. Alte Arbeitersiedlung im Ruhrgebiet ⑤

G. Renovierte alte Häuser in einer Großstadt ④

③

⑦

⑧

der Bagger   der Mauerspecht
= wall peckers

9 **Ü17** **Die Räume (Zimmer) einer Wohnung: Was ist was? – Bitte numerieren Sie** 🔑

Erdgeschoß   **Obergeschoß**

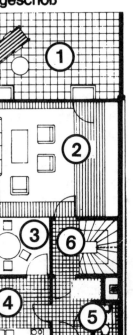 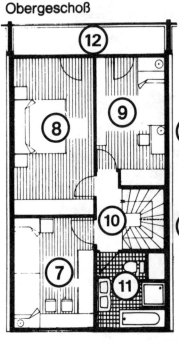

○ der Eßplatz / das Eßzimmer
_____

○ der Wohnraum / das Wohnzimmer
_____

○ der Schlafraum / das Schlafzimmer
_____

○○ das Kinderzimmer
_____

○ die Küche
_____

○ das Bad / das Badezimmer
_____

○○ der Flur / die Diele
_____

○ die Toilette / das WC
_____

○ die Terrasse
_____

○ der Balkon / die Loggia
_____

Ü18 **Welche Möbelstücke und Gegenstände sind im Wohnzimmer, ...?** 🔑

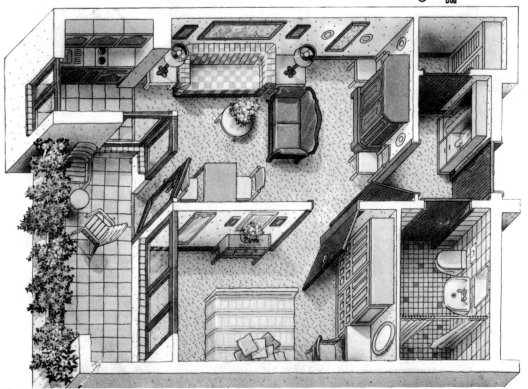

Wohnzimmer	Schlafzimmer	Bad	Küche	Terrasse
der Couchtisch				

Ü 19 **Lesen Sie zuerst den folgenden Text, hören Sie dann das Gespräch und ergänzen Sie** 🔑

9

Herr und Frau Miller waren zu Besuch bei Hempels. Nun sind sie wieder zu Hause. Sie sprechen über die Wohnung von Hempels und über ihre eigene Wohnung, über die Möbel von Hempels und über ihre eigenen Möbel.

Er: Oh, war das l_____!

Sie: Aber die W_____ ist w_____

_____ h_____ .

Er: F_____ ich n_____ .

Sie: Doch, sch_____ gr_____ , und b_____ haben ein A_____ .

Das haben wir nicht. Und der K_____ hat a_____ ...

Er: Ein fr_____ Kerl! "P_____ ist d_____" – hast du das gel_____?

Sie: Ja, ja, und hast du die K_____ ges_____? So h_____ und

fr_____! So e_____ m_____ ich auch h_____ .

Er: Ich f_____ unsere v_____ sch_____ .

Sie: Ach so, du b_____ doch n_____ in der K_____ !

Er: So, du f_____ ihre W_____ also sch_____?!

Sie: Ja, s_____ sch_____ !

Er: Das k_____ ich w_____ nicht v_____! Gr_____ ist

sie, aber alles andere ist g_____ n_____ und l_____ .

Sie: Was ist l_____ ?

Er: Die M_____ zum B_____ !

Sie: Aber wir spr_____ doch von der W_____ !

Er: Die M_____ g_____ zur W_____ ! Die sind

sogar bes_____ w_____ !

Sie: Und wie f_____ du u_____ M_____ ?

10 Ü 20 Welcher Satz paßt zu welcher Anzeige? Lesen Sie und ordnen Sie zu

Vermietungen

Zwei 1/2-Zi.-Appartements, m. Kochn., Duschbad, Diele u. HZ, in ruhiger Lage Nähe Hupfeldschule ab sof. zu vermieten. ☎ **36028**

1-Zi.-Ap., 25 qm, ZH, Spüle, E-Herd, Kühlschr., Teppichboden, Bad u. WC, DM 270 plus NK und Kaution. Mönchebergstr. 50, ☎ 891400

3-Zi., Kü., Bad, HZ, Nähe Lutherplatz zu vermieten. ☎ 36901

1-Zi.-Appartement (leer) frei. Billigst! ☎ 14174 (nur von 8–17 Uhr)

Möbl. Zimmer, Nähe Hauptbahnhof, ab 1. 1. frei. ☎ 71424

Kl. Laden mit Wohn., Nähe Hauptpost, frei. Angebote unter A 1/3376 Pressehaus

Sep. möbl. Zimmer, Küche u. Dusche, Zentrum, frei. ☎ 05605/5200

2-Zimmer-Appartement zum 1. 2. zu verm., 350 DM u. Nebenabgaben. Tel. 84971, Mo.–Fr. 7–16 Uhr

2-Zi., Kü., Bad, 50 qm, Nähe Berliner Brücke, DM 350,–. ☎ 15691 Mi., Do. 8 bis 16 Uhr

2 ZKB, renoviert, 2-Fam.-Haus, z. 1. 1., DM 550,– + NK. ☎ 0561/75270 ab 15 Uhr

2½ Zi., Kü., Bad, sep. WC, Teppichbod., 79 qm, Altbau, 1. 1. od. 1. 2., DM 420,– + NK. ☎ 17677

① ② ③ ④ ⑤ ⑥ ⑦ ⑧ ⑨ ⑩

Wohnungsanzeigen

a) Die Wohnung besteht aus einem Zimmer; sie liegt in der City.

b) Zur Wohnung gehören eine Küche, ein Bad und drei Zimmer.

c) Die Wohnung kostet 350 Mark; es gibt keine Nebenkosten.

d) Zur Wohnung gehören eine Kochnische, eine Diele und eine Dusche; man kann sie sofort mieten.

e) Die Wohnung hat Teppichboden; sie ist in einem alten Haus.

f) Die Wohnung ist in einem Haus, in dem es nur zwei Wohnungen gibt.

g) Die Wohnung besteht aus einem Zimmer mit Spüle, Elektroherd und Kühlschrank.

h) Die Wohnung besteht aus einem Zimmer; in dem Zimmer sind keine Möbel.

i) Wenn man die Wohnung mieten will, kann man montags bis freitags zwischen sieben Uhr und sechzehn Uhr anrufen.

① d, ...

NA = Nebenabgaben = Nebenkosten
m. = mit
u. = und
verm. = vermieten
qm. = Quadratmeter (m²)

2-Fam.-Haus: Zweifamilienhaus
Mo = Montag
Mi = Mittwoch
Do = Donnerstag
Fr = Freitag

11 Ü 21 **Was sagt die Vermieterin? Hören Sie das Telefongespräch und schreiben Sie in die Tabelle**

Die Anruferin möchte wissen:	Die Vermieterin sagt:
1. Ist das Zimmer noch frei?	1. *Ja.*
2. Wie hoch sind die Nebenkosten ungefähr?	2.
3. Muß man die Nebenkosten auch im Sommer bezahlen?	3.
4. Wie hoch ist die Mietsicherheit (Kaution)?	4.

5. 31 m^2, ist das nur das Zimmer -
oder mit Kochnische und Bad zusammen?

5.

6. Wie weit ist es bis zur Stadt-
mitte?

6.

7. Wann kann ich mal vorbeikommen?

7.

Ü 22 **Was fragt der Anrufer? Schreiben Sie in die Sprechblasen**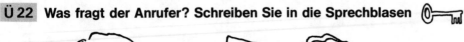

Möbl. 2-Zi-Whg., Kü., WC, Dusche, 55 m², 350,– + NK/MS, Galgenbg., Tel. (05121) 20417.

1.

Das Wohnzimmer hat ca. 25 m^2,
das Schlafzimmer ca. 15.

2.

Schrank, Couch, 2 Sessel, Couchtisch, Tisch und vier Stühle.

3.

Ja, für einen Schreibtisch ist
noch Platz.

4.

Zur Zeit 95 Mark im Monat, für
Heizung, Wasser usw.

5.

2 Monatsmieten.

6.

Ja, bis zur Haltestelle sind es
etwa 10 Minuten zu Fuß.

7.

Bis zum Hauptbahnhof ca. 20 Minuten.

8.

Ab dem fünfzehnten.

9.

Heute abend ab 18 Uhr.

10.

Auf Wiederhören!

Ü 23 Sie haben eine Wohnung oder ein Zimmer gemietet. Füllen Sie bitte die folgenden Teile eines Miet-
vertrags aus:

Wohnungs-Mietvertrag

Der (Die) Vermieter _____

_____

wohnhaft in _____

und der (die) Mieter _____

_____

schließen folgenden Mietvertrag:

§ 1   Mieträume

1. Im Hause _____
   (Ort, Straße, Haus-Nr.)

   werden folgende Räume vermietet: _____ Bad/Dusche/WC, _____ Bodenräume/

   _____ Zimmer, _____ Küche/Kochnische, _____ Kellerräume Nr. _____

   Speicher Nr. _____, _____

   _____ Garage/Stellplatz, _____ Garten, _____ **gewerblich** genutzte Räume

§ 3   Miete

1. Die Miete beträgt monatlich: _____ DM; in Worten:

   DM _____
2. Zusätzlich zur Miete zahlt der Mieter
   a) für **Heizung und Warmwasser** ☐ eine **Vorauszahlung** ☐ einen **Pauschalbetrag** in Höhe von _____ DM
   b) für die folgenden Betriebskosten

   _____ DM monatlich.
   ☐ einen **Pauschalbetrag** ☐ eine **Vorauszahlung** in Höhe von _____ DM ist auf das Konto _____
3. Der Gesamtbetrag (Summe aus Miete und Betriebskosten) in Höhe von _____ des Vermieters zu zahlen.

Ü 1   Silbenrätsel

ba - ~~bal~~ - blu - che - de - den - der -		
der - ~~du~~ - ~~e~~ - fe - fel - he - hem -		
herd - ho - hü - ke - ken - ~~kin~~ - klei -		
kon - kos - kra - ~~ku~~ - ~~kühl~~ - le - lek -		
män - mer - mer - mer - pe - ras - rök -		
sak - sche - ~~schlaf~~ - schrank - schu -		
se - sel - sen - sen - ~~ses~~ - sok - ~~spü~~ -		
stie - strümp - te - tel - ten - ~~ter~~ -		
tro - wan - wat - ~~wohn~~ - zim - zim -		
zim		

WOHNUNG:	KLEIDUNGSSTÜCKE (Plural!):	
Ba...	B...	St...
Bal...	H...	
Du...	H...	
E...	H...	
Kin...	K...	
Kü...	K...	
Kühl...	M...	
Schlaf...	R...	
Ses...	S...	
Spü...	S...	
Ter...	Sch...	
Wohn...	St...	

Ü1 **Schreiben Sie bitte Fragen**

a) Was für _ein Schirm_

   war das?

b) Was für _einen Schirm_

   suchen Sie?

Schirm - Fahrrad -
Brille - Uhr - Ta-
sche - Koffer - Ra-
diorecorder - Kleid -
Bild - Fernseher -
Fotoapparat - Hut

c) Welch _er Schirm_

   gefällt dir besser?

d) Welch _en Schirm_

   möchtest du?

| a) ... | c) ... |
| b) ... | d) ... |

3

Ü2 **Fragen Sie bitte nach den folgenden Mustern:**

a) Welch _er_ Mantel gefällt dir besser, d _er_ schwarz _e_ oder d _er_ grau _e_ ?

b) Welch _en_ Mantel möchtest du, d _en_ schwarz _en_ oder d _en_ grau _en_ ?

Ⓐ Die *Adjektiv-Endungen nach* dem *bestimmten* Artikel:

Singular	mask.	neutr.	fem.
Nom.	e	e	e
Akk.	(en)	e	e
Dat.		en	
Gen.		en	
Plural			
Nom.		en	
Akk.		en	
Dat.		en	
Gen.		en	

der Mantel	blau
das Kleid	rot
die Hose	grün
der Schal	schwarz
der/das Sakko	grau
die Bluse	weiß
das Hemd	gelb
der Hut	braun
der Rock	hellblau
das Sweatshirt	kariert
der Pullunder	gestreift
die Weste	groß
	klein
die Schuhe	lang
die Jeans	kurz
die Socken	

a) ...
b) ...

Ü3 **Fragen und antworten Sie bitte nach den folgenden Mustern:**

a) Was für ein _/_ Schirm war das? -
   Ein _/_ groß _er_, blau _er_.

b) Was für ein _en_ Schirm suchst du? -
   Ein _en_ groß _en_, blau _en_.

c) Was für Schirme waren das? -
   Groß _e_, blau _e_.

d) Was für Schirme magst
   du? - Groß _e_, blau _e_.

| a) ... | c) ... |
| b) ... | d) ... |

der Schirm, die Uhr, der Koffer, das Radio, die Tasche, der Fotoapparat, der Ring,
das Rad, das Auto, der Mann, die Frau

groß, klein, hell, dunkel, schwarz, blau,
intelligent, blond, lieb, nett, gut,
billig, neu, gebraucht ...

Ⓑ Die *Adjektiv-Endungen nach* dem *unbestimmten* Artikel:

Singular	mask.	neutr.	fem.
Nom.	(er)	(es)	e
Akk.	(en)	(es)	e
Dat.		en	
Gen.		en	
Plural			
Nom.		(e)	
Akk.		(e)	
Dat.		(en)	
Gen.		(er)	

Ü 4 **Fragen und antworten Sie bitte nach den folgenden Mustern:**

a) Wie gefällt dir mein__ neu**er** Mantel? – Nicht schlecht, aber dein__ alt **er**
gefällt mir noch besser.

b) Wie findest du mein**en** neu**en** Mantel? – Nicht schlecht, aber dein**en** alt **en**
finde ich besser.

der neue Mantel – das neue Kleid – die
neue Krawatte – der neue Hut – das neue
Sweatshirt – die neue Hose – der neue
Rock – das neue Hemd – die neue Bluse –
die neue Tasche – das neue Auto – das
neue Zimmer ...

a) ...
b) ...

© Die *Adjektiv-Endungen nach* dem *Possessiv-pronomen*

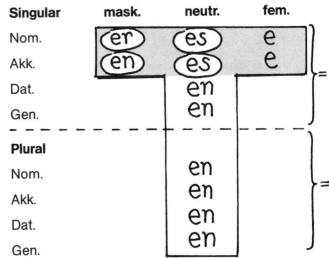

Singular	mask.	neutr.	fem.
Nom.	er	es	e
Akk.	en	es	e
Dat.		en	
Gen.		en	
Plural			
Nom.		en	
Akk.		en	
Dat.		en	
Gen.		en	

Ü 5 # GESUCHT!

Ergänzen Sie bitte die Adjektivendungen

Beispiel: Groß**er** schlank**er** Mann
mit schwarz**em** Bart.

Ⓓ Die *Adjektiv-Endungen ohne Begleiter*
(Artikel, Pronomen)

Singular	mask.	neutr.	fem.
Nom.	er	es	e
Akk.	en	es	e
Dat.	em	em	er
Gen.	en	en	er
Plural			
Nom.		e	
Akk.		e	
Dat.		en	
Gen.		er	

= Ⓑ

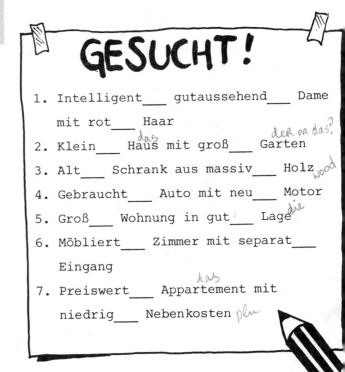

GESUCHT!

1. Intelligent___ gutaussehend___ Dame
   mit rot___ Haar
2. Klein___ Haus mit groß___ Garten *(das)* *(der or das?)*
3. Alt___ Schrank aus massiv___ Holz *(wood)*
4. Gebraucht___ Auto mit neu___ Motor
5. Groß___ Wohnung in gut___ Lage *(die)*
6. Möbliert___ Zimmer mit separat___
   Eingang
7. Preiswert___ Appartement mit *(das)*
   niedrig___ Nebenkosten *(plu)*

Ü 6 Variante Ⓐ ◄──► Variante Ⓑ: Ergänzen Sie die (Adjektiv-)Endungen

1. Nominativ Singular   Ⓐ   Ⓑ

a) d**er** / dies**er** ⎫   ein __/__   ⎫
   welch**er**   ⎬ neu **e** Mantel   mein __/__ / kein __/__ ⎬ neu **er** Mantel

b) d___ / dies___   ⎫   ein___   ⎫
   welch___   ⎬ alt___ Auto   mein___ / kein___   ⎬ alt___ Auto

c) d___ / dies___   ⎫   ein___   ⎫
   welch___   ⎬ schwarz___ Tasche   mein___ / kein___   ⎬ schwarz___ Tasche

2. Akkusativ Singular

a) d___ / dies___   ⎫   ein___   ⎫
   welch___   ⎬ neu___ Mantel   mein___ / kein___   ⎬ neu___ Mantel

b) d___ / dies___   ⎫   ein___   ⎫
   welch___   ⎬ alt___ Auto   mein___ / kein___   ⎬ alt___ Auto

c) d___ / dies___   ⎫   ein___   ⎫
   welch___   ⎬ schwarz___ Tasche   mein___ / kein___   ⎬ schwarz___ Tasche

3. Nominativ und Akkusativ Plural

d___ / dies___ ⎫⎫ neu___ Mäntel   __/__ ⎫ neu___ Mäntel
welch___   ⎬⎬ alt___ Autos   __/__ ⎬ alt___ Autos
mein___ / kein__⎭⎭ schwarz___ Taschen   __/__ ⎭ schwarz___ Taschen

---

Ü 7 **Bilden Sie Sätze nach den folgenden Mustern:**   **4**

a) Dieser Pullover ist ___*neu*___.   Das ist ein ___*neuer*___ Pullover.

b) Diese Pullover sind ___*neu*___.   Das sind ___*neue*___ Pullover.

das die   der   die   der
Hemd - Hose - Anzug - Bluse - Rock -   neu - alt - modern - billig - preiswert -
der   die   der   das   das
Mantel - Weste - Schrank - Bild - Bett -   altmodisch - bequem - teuer - schön -
die   das
Wohnung - Zimmer - Buch ...   hell - spannend ...
  en   *exciting*

53

1 **Ü1** Schreiben Sie einen *kurzen* Text zu dem Bild

> Ohne Teiche gibt es keine Frösche.
>
> Ohne ...

Ohne → [reeds]
Kein ↓ Ohne ↓ [frogs]
Kein → [storks] Ohne ↓
Kein ↑ [baby] Ohne ↓ [cradle]

Keine Deutschen

u. Menke

Ü2 Ergänzen Sie bitte den folgenden Text 🔑

Wenn es *keine Teiche* mehr

gibt, (dann) gibt es auch

___keine___ ___Frösche___ mehr, *weil* Frösche _sauberes Wasser_ brauchen. [Wenn]

es aber ~~keine Frösche nicht~~ mehr gibt, dann _gibt es auch keine Störche,_

brauchen = only negative [weil] _Störche brauchen die Frösche fressen._ ← [final because]

Und wenn _es keine Störche mehr gibt,_ [dann] _gibt es_ [subordinate clause]

auch keine Babys , [weil] _Störche die Babys bringen_

Und [wenn] es in Deutschland keine Babys mehr gibt, (dann) _gibt es auch_

keine Deutschen .

!! verb to end

2 **Ü3** Recht im Alltag. – Lesen und schreiben Sie bitte 🔑

	Der Kunde will ...	*Der Verkäufer (Das Geschäft) muß ...*
Der Verkäufer (das Geschäft) muß eine neue *Ware zurück-nehmen* und das *Geld bar* zurückgeben, wenn die Ware einen Fehler hat.	Die Ware hat einen Fehler; der Kunde will sie zurück-geben.	*Der Verkäufer muß die Ware zurücknehmen und das Geld bar zurückgeben.*
Der Verkäufer muß dem Kunden (Käufer) einen *Preisnachlaß (Rabatt) geben*, wenn der Kunde die fehlerhafte Ware behalten will.	Die Ware hat einen Fehler; doch der Kunde will sie behalten.	

cash

| Der Verkäufer muß dem Kunden eine *neue Ware geben*, wenn die zuerst gekaufte neue Ware einen Fehler hat. Der Kunde muß dann die erste Ware zurückgeben. | Die Ware hat einen Fehler; der Kunde will eine neue Ware. | |
| Das Geschäft muß die neue Ware *kostenlos reparieren*, wenn der Kunde damit einverstanden ist. | Die Ware hat einen Fehler; der Kunde sagt: "Reparieren Sie die Ware!" | |

Ü 4 Lesen – Hören – Notieren – Rekonstruieren

a) Lesen Sie zuerst den folgenden Text

Eine Kundin kommt in ein Geschäft. Sie sagt, daß sie einen Pullover gekauft hat und daß der Pullover einen Fehler hat. Sie möchte ihr Geld zurückhaben – oder den gleichen Pullover ohne Fehler. Den gibt es aber nicht mehr, nur noch in Gelb. Das paßt aber nicht zu ihren Sachen.
Der Verkäufer will der Kundin das Geld nicht zurückgeben; er sagt, daß der Pullover im Geschäft in Ordnung war und daß die Kundin den Pullover zu Hause kaputtgemacht hat.
Die Kundin möchte den Geschäftsinhaber sprechen, aber der Verkäufer ist selbst der Chef. Schließlich machen sie einen Kompromiß: Das Geschäft repariert den Pullover kostenlos.

b) Hören Sie jetzt den Dialog und notieren Sie Stichpunkte nach dem folgenden Muster:

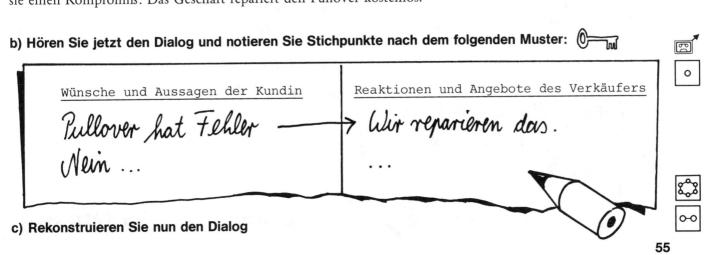

Wünsche und Aussagen der Kundin	Reaktionen und Angebote des Verkäufers
Pullover hat Fehler —————→	*Wir reparieren das.*
Nein ...	*...*

c) Rekonstruieren Sie nun den Dialog

Ü5 Lesen Sie zuerst „den Fall" rechts.
Formulieren Sie dann Gegenargumente
gegen mögliche Argumente des Verkäufers.

Mögliche Argumente des Verkäufers

1. Wir können Ihnen keinen neuen Recorder geben, denn den Recorder gibt es nicht mehr.

2. Wir können Ihnen das Geld nicht bar zurückgeben, denn wir können den Recorder nicht wieder verkaufen.

3. Wir können den Recorder reparieren; die Reparatur müssen Sie aber bezahlen.

4. Da haben Sie Pech gehabt; außerdem haben Sie keinen Garantieschein.

5. Der Recorder war in Ordnung; Sie haben ihn selbst kaputtgemacht.

Der Fall

Sie haben einen Radiorecorder gekauft. Nach vier Wochen ist das Cassetten-Laufwerk kaputt: Wenn Sie auf den Knopf "Play" drücken, läuft die Cassette viel zu schnell. Sie bringen den Recorder ins Geschäft zurück; Sie wollen einen neuen Recorder oder Ihr Geld bar zurück.

JHRE GEGENARGUMENTE

1. Dann will ich mein Geld zurück, weil ...

2. ....

3 **Ü6** Erzählen Sie die Geschichte nach

Ein schwerer Fehler

Oskar fuhr auf der linken Straßenseite. Ein Auto kam ...

Stichwörter:

Oskar links – Auto entgegen → CRASH

Polizist: Oskar schuld! 50 Mark Strafe!

Oskar: Nein. Bin Auto!

P.: Führerschein!

O.: Bitte.

Führerschein okay.

P.: Kein Auto!

O.: Doch! 4 Räder + Motor

P. will O. verhaften

O.: Warum?

P.: Dumme Witze! Oder verrückt?!

Ü 7 a) Beschreiben Sie diese Situation
b) Wer macht hier Fehler? Wieso? – Schreiben Sie bitte

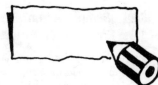

Ü 8 Wer darf zuerst fahren? Warum? / Wer muß warten? Warum? –
Schreiben Sie bitte

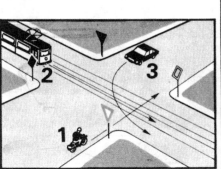
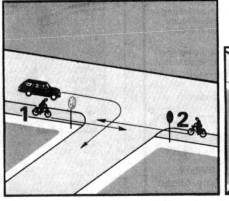

4 **Ü 9** „Rotkäppchen" – Was passierte zuerst, was dann? 🔑

a Es wunderte sich, daß die Türe aufstand, und wie es in die Stube trat, so kam es ihm so seltsam darin vor, daß es dachte: »Ei, du mein Gott, wie ängstlich wird mir's heute zumut, und bin sonst so gerne bei der Großmutter!« Es rief »Guten Morgen«, bekam aber keine Antwort. Darauf ging es zum Bett und zog die Vorhänge zurück: da lag die Großmutter und hatte die Haube tief ins Gesicht gesetzt und sah so wunderlich aus. »Ei, Großmutter, was hast du für große Ohren!« »Daß ich dich besser hören kann.« »Ei, Großmutter, was hast du für große Augen!« »Daß ich dich besser sehen kann.« »Ei, Großmutter, was hast du für große Hände!« »Daß ich dich besser packen kann.« »Aber, Großmutter, was hast du für ein entsetzlich großes Maul!« »Daß ich dich besser fressen kann.« Kaum hatte der Wolf das gesagt, so tat er einen Satz aus dem Bette und verschlang das arme Rotkäppchen.

b Es war einmal eine kleine süße Dirne, die hatte jedermann lieb, der sie nur ansah, am allerliebsten aber ihre Großmutter, die wußte gar nicht, was sie alles dem Kinde geben sollte. Einmal schenkte sie ihm ein Käppchen von rotem Sammet, und weil ihm das so wohl stand und es nichts anders mehr tragen wollte, hieß es nur das Rotkäppchen.

c Rotkäppchen aber holte geschwind große Steine, damit füllte sie dem Wolf den Leib, und wie er aufwachte, wollte er fortspringen, aber die Steine waren so schwer, daß er gleich niedersank und sich totfiel.

d Die Großmutter aber wohnte draußen im Wald, eine halbe Stunde vom Dorf. Wie nun Rotkäppchen in den Wald kam, begegnete ihm der Wolf. Rotkäppchen aber wußte nicht, was das für ein böses Tier war, und fürchtete sich nicht vor ihm. »Guten Tag, Rotkäppchen«, sprach er. »Schönen Dank, Wolf.« »Wo hinaus so früh, Rotkäppchen?« »Zur Großmutter.« »Was trägst du unter der Schürze?« »Kuchen und Wein: gestern haben wir gebacken, da soll sich die kranke und schwache Großmutter etwas zugut tun und sich damit stärken.« »Rotkäppchen, wo wohnt deine Großmutter?« »Noch eine gute Viertelstunde weiter im Wald, unter den drei großen Eichbäumen, da steht ihr Haus, unten sind die Nußhecken, das wirst du ja wissen«, sagte Rotkäppchen.

e Rotkäppchen aber war nach den Blumen herumgelaufen, und als es so viel zusammen hatte, daß es keine mehr tragen konnte, fiel ihm die Großmutter wieder ein, und es machte sich auf den Weg zu ihr.

f Der Wolf aber ging geradeswegs nach dem Haus der Großmutter und klopfte an die Türe. »Wer ist draußen?« »Rotkäppchen, das bringt Kuchen und Wein, mach auf.« »Drück nur auf die Klinke«, rief die Großmutter, »ich bin zu schwach und kann nicht aufstehen.« Der Wolf drückte auf die Klinke, die Türe sprang auf, und er ging, ohne ein Wort zu sprechen, gerade zum Bett der Großmutter und verschluckte sie. Dann tat er ihre Kleider an, setzte ihre Haube auf, legte sich in ihr Bett und zog die Vorhänge vor.

g Da waren alle drei vergnügt; der Jäger zog dem Wolf den Pelz ab und ging damit heim, die Großmutter aß den Kuchen und trank den Wein, den Rotkäppchen gebracht hatte, und erholte sich wieder, Rotkäppchen aber dachte: »Du willst dein Lebtag nicht wieder allein vom Wege ab in den Wald laufen, wenn dir's die Mutter verboten hat.«

h Der Jäger ging eben an dem Haus vorbei und dachte: »Wie die alte Frau schnarcht, du mußt doch sehen, ob ihr etwas fehlt.« Da trat er in die Stube, und wie er vor das Bette kam, so sah er, daß der Wolf darin lag. »Finde ich dich hier, du alter Sünder«, sagte er, »ich habe dich lange gesucht.« Nun wollte er seine Büchse anlegen, da fiel ihm ein, der Wolf könnte die Großmutter gefressen haben und sie wäre noch zu retten: schoß nicht, sondern nahm eine Schere und fing an, dem schlafenden Wolf den Bauch aufzuschneiden. Wie er ein paar Schnitte getan hatte, da sah er das rote Käppchen leuchten, und noch ein paar Schnitte, da sprang das Mädchen heraus und rief: »Ach, wie war ich erschrocken, wie war's so dunkel in dem Wolf seinem Leib!« Und dann kam die alte Großmutter auch noch lebendig heraus und konnte kaum atmen.

i Eines Tages sprach seine Mutter zu ihm: »Komm, Rotkäppchen, da hast du ein Stück Kuchen und eine Flasche Wein, bring das der Großmutter hinaus; sie ist krank und schwach und wird sich daran laben. Mach dich auf, bevor es heiß wird, und wenn du hinauskommst, so geh hübsch sittsam und lauf nicht vom Weg ab, sonst fällst du und zerbrichst das Glas, und die Großmutter hat nichts. Und wenn du in ihre Stube kommst, so vergiß nicht, guten Morgen zu sagen, und guck nicht erst in alle Ecken herum.« »Ich will schon alles gut machen«, sagte Rotkäppchen zur Mutter und gab ihr die Hand darauf.

j Der Wolf dachte bei sich: »Das junge zarte Ding, das ist ein fetter Bissen, der wird noch besser schmecken als die Alte: du mußt es listig anfangen, damit du beide erschnappst.« Da ging er ein Weilchen neben Rotkäppchen her, dann sprach er: »Rotkäppchen, sieh einmal die schönen Blumen, die ringsumher stehen, warum guckst du dich nicht um? Ich glaube, du hörst gar nicht, wie die Vöglein so lieblich singen? Du gehst ja für dich hin, als wenn du zur Schule gingst, und ist so lustig haußen in dem Wald.«

k Rotkäppchen schlug die Augen auf, und als es sah, wie die Sonnenstrahlen durch die Bäume hin und her tanzten und alles voll schöner Blumen stand, dachte es: »Wenn ich der Großmutter einen frischen Strauß mitbringe, der wird ihr auch Freude machen; es ist so früh am Tag, daß ich doch zu rechter Zeit ankomme«, lief vom Wege ab in den Wald hinein und suchte Blumen. Und wenn es eine gebrochen hatte, meinte es, weiter hinaus stände eine schönere, und lief darnach, und geriet immer tiefer in den Wald hinein.

l Wie der Wolf sein Gelüsten gestillt hatte, legte er sich wieder ins Bett, schlief ein und fing an, überlaut zu schnarchen.

1	2	3	4	5	6	7	8	9	10	11	12
b											

Ü10 Beschreiben Sie bitte das Bild

Fernsehapparat/Fernseher - Raketenposter - Märchenbuch - Cassettenrecorder -
Steckdose - Bombe - Telefon - Poster von Rod Steward

Ü11 Die Begegnung mit dem Säufer: Erzählen Sie bitte die Geschichte
a) Sie sind der Erzähler oder b) Sie sind der kleine Prinz

5

Stichwörter:

Nächster Planet : Säufer – Besuch kurz – Prinz
schwermütig – Säufer vor Flaschen – "Was
machst du?" – "Trinken." – "Warum?" – "Vergessen!" – "Was?" – "Schäme mich." – "Warum?"
– "Saufe." – Schweigen – Prinz weg, bestürzt –
"Große Leute sehr wunderlich!"

Die Begegnung des kleinen Prinzen mit dem Säufer
Auf dem nächsten Planeten, den der kleine Prinz besuchte,
wohnte ein Säufer. ...

6 **Ü 12** **Bertolt Brecht: Der Zweckdiener**
Ergänzen Sie bitte 0━━

URSACHE = ZWECK ➡ ZWECKURSACHE

Kausal Satz / Final Satz

| 1. Warum
Zu welchem Zweck (Wozu) | *because / in order to* macht der Nachbar Musik? | *Weil er turnt.*
Damit er turnen kann. |

| 2. Warum
Zu welchem Zweck (Wozu) | turnt er? | |

| 3.
Zu welchem Zweck (Wozu) | benötigt er Kraft? | |

| 4. Warum
Zu welchem Zweck (Wozu) | muß er Feinde besiegen? *defeat* | |

| 5. Warum
Zu welchem Zweck (Wozu) | ißt er? | |

Ü 1 **Kreuzworträtsel** 0━━

Waagrecht ▶

1 Rotkäppchen pflückte einen ____ Blumen.

2 Farbe

3 Mit einer ____ kann man Papier schneiden.

4 Gegenteil von "gesund"

5 Kind (weiblich)

6 Alkoholisches Getränk

7 Tiere, die fliegen können

8 Teil des Körpers (vorne, Mitte)

9 Am Wegrand standen viele bunte ____.

10 Der ____ hat den Wolf getötet.

11 " ... was hast du für große ____?" -
"Damit ich dich besser packen kann!"

12 An den Fenstern hängen ____.

Senkrecht ▼

3 Sie taten ____ in den Leib des Wolfes.

4 Gebäck, süß

5 "Mund" von Tieren

6 Raubtier

13 Gewächse aus Holz

14 Rotkäppchen lief in den ____.

15 Hosen, Hemden, Röcke, Mäntel ...
sind ____ (Oberbegriff).

16 Körperteil (Plural): Man kann damit hören.

17 Licht, das von der Sonne kommt

18 Körperteil (Plural): Man kann damit sehen.

19 Die Kinder lernen in der ____.

Das Lösungswort lautet:

G

1 **Ü1** **Gebrauchen Sie bitte Konditionalsätze**

Beispiel: a) "Wenn das Zimmer groß genug ist, nehme ich es."

b) "Ich nehme das Zimmer, wenn es groß genug ist."

Kondition/Bedingung	Konsequenz/Folge
1. Die neue Ware hat einen Fehler.	Der Verkäufer (das Geschäft) muß die Ware zurücknehmen.
2. Der Kunde möchte die fehlerhafte Ware behalten.	Der Verkäufer (das Geschäft) muß einen Rabatt geben.
3. "Sie bezahlen die Reparatur."	"Wir können den Recorder reparieren."
4. Die Garantiezeit ist vorbei.	Der Käufer muß die Reparatur selbst bezahlen.
5. "Die Miete ist nicht zu hoch."	"Ich miete das Appartement."
6. "Das Zimmer ist groß genug." ✓	"Ich nehme das Zimmer." ✓
7. "Du brauchst Hilfe."	"Du kannst mich anrufen."
8. "Dir gefällt mein neuer Hut nicht."	"Ich tausche meinen neuen Hut um."
9. "Ich habe genug Deutsch gelernt."	"Ich mache die Prüfung." *exam*

2 **Ü2** **Beantworten Sie bitte die Fragen (⟶ Lehrbuch, 11A6)**

1. Warum hat das Mädchen sein Fahrrad grün gestrichen?

2. Warum hat es sein Fahrrad | dann rot / dann blau / dann gelb / dann himmelblau | gestrichen?

3. Und warum hat das Mädchen am Schluß sein Fahrrad wieder grün angestrichen, grasgrün?

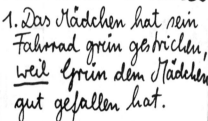

1. Das Mädchen hat sein Fahrrad grün gestrichen, weil Grün dem Mädchen gut gefallen hat.
2. ...

Ü3 **Beantworten Sie bitte die folgenden Fragen**

1. Warum gehst du nicht mit ins Kino?

2. Warum bist du gestern abend nicht gekommen?

3. Warum ißt du nichts?

4. Warum rauchen Sie so viel / nicht mehr?

5. Warum heiratest du nicht?

6. Warum fährst du (nicht) mit dem Bus/Fahrrad in die Stadt?

7. Warum hast du das Buch nicht zu Ende gelesen?

8. Warum hast du (nicht) die karierte Weste gekauft?

9. Zahnschmerzen? Warum gehst du nicht zum Zahnarzt?

1.a) Weil ich den Film schon kenne.
b) Weil ich Western-Filme nicht mag!
2. ...

Ü4 **Zu welchem Zweck / Wozu ...**

1. ... zeigt der Wolf Rotkäppchen die Blumen?
2. ... pflückt Rotkäppchen einen Blumenstrauß?
3. ... legt sich der Wolf in das Bett der Großmutter?
4. ... ißt der Nachbar von Herrn K.?

6. ... brauchst du denn ein Auto?
7. ... lernen Sie Deutsch?
8. ... treiben Sie Sport?
9. ... sprichst du so leise?
10. ... liest du jeden Satz zweimal?

3

1.a, *Damit es vom Weg abgeht.*
b, *Um zum Haus der Großmutter laufen zu können.*

4

Ü5 **Ergänzen Sie bitte die Tabelle**

Sachverhalt	Erwartete Konsequenz	Unerwartete Konsequenz
1. Die Äpfel sind noch nicht reif.	Herr Böse und Herr Streit pflücken die Äpfel nicht.	*Herr B. und Herr S. pflücken die Äpfel trotzdem.*
2. Die Miete für das Appartement ist zu hoch.	Ich miete das Appartement nicht.	
3. Der Mantel gefällt mir nicht.		Ich habe den Mantel trotzdem gekauft.
4. Die Fußgängerampel ist rot.	Wir gehen nicht über die Straße.	
5. Rauchen ist schädlich für die Gesundheit.		Immer mehr junge Leute fangen (trotzdem) zu rauchen an.
6. Ich habe den Film schon zweimal gesehen.		
7. Ich habe den Text schon dreimal gelesen.		
8. Ich habe gestern abend zwei Schlaftabletten genommen.		
9. Peter ist schon früh aufgestanden.		
10. Maria hatte gestern Kopfschmerzen.		

Ü6 **Gebrauchen Sie nun Konzessivsätze zu den Beispielen 1.–10. von Ü5**

1. a, *Obwohl die Äpfel noch nicht reif sind, pflücken Herr B. und Herr S. sie.*
b, *Herr B. und Herr S. pflücken die Äpfel, obwohl sie noch nicht reif sind.*
2. ...

Ü1
zu 9A1

Welche dieser Äußerungen haben eine „hohe Temperatur" (= sind aggressiv)?
Welche haben eine „niedrige Temperatur" (= sind entspannt-freundlich)?
Hören Sie dazu die Tonaufnahme auf der Cassette

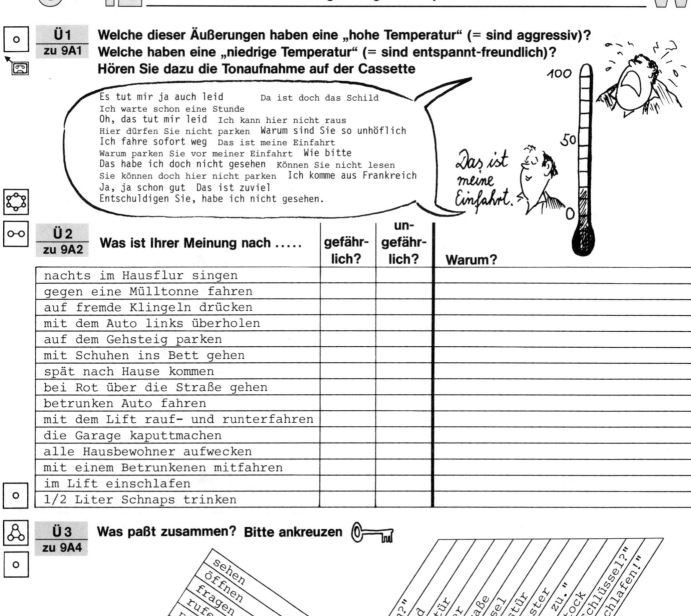

> Es tut mir ja auch leid   Da ist doch das Schild
> Ich warte schon eine Stunde
> Oh, das tut mir leid   Ich kann hier nicht raus
> Hier dürfen Sie nicht parken   Warum sind Sie so unhöflich
> Ich fahre sofort weg   Das ist meine Einfahrt
> Warum parken Sie vor meiner Einfahrt   Wie bitte
> Das habe ich doch nicht gesehen   Können Sie nicht lesen
> Sie können doch hier nicht parken   Ich komme aus Frankreich
> Ja, ja schon gut   Das ist zuviel
> Entschuldigen Sie, habe ich nicht gesehen.

Das ist meine Einfahrt.

100

50

0

Ü2
zu 9A2

Was ist Ihrer Meinung nach	gefähr-lich?	un-gefähr-lich?	Warum?
nachts im Hausflur singen			
gegen eine Mülltonne fahren			
auf fremde Klingeln drücken			
mit dem Auto links überholen			
auf dem Gehsteig parken			
mit Schuhen ins Bett gehen			
spät nach Hause kommen			
bei Rot über die Straße gehen			
betrunken Auto fahren			
mit dem Lift rauf- und runterfahren			
die Garage kaputtmachen			
alle Hausbewohner aufwecken			
mit einem Betrunkenen mitfahren			
im Lift einschlafen			
1/2 Liter Schnaps trinken			

Ü3
zu 9A4

Was paßt zusammen? Bitte ankreuzen

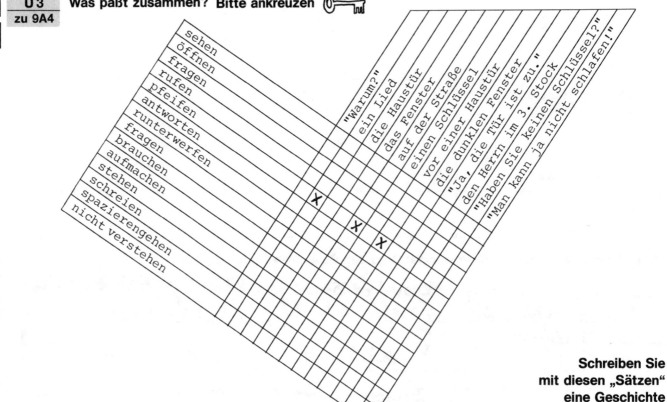

sehen, öffnen, fragen, rufen, pfeifen, antworten, runterwerfen, fragen, brauchen, aufmachen, stehen, schreien, spazierengehen, nicht verstehen

"Warum?", ein Lied, die Haustür, das Fenster, auf der Straße, einen Schlüssel, vor einer Haustür, die dunklen Fenster, "Ja, die Tür ist zu.", den Herrn im 3. Stock, "Haben Sie keinen Schlüssel?", "Man kann ja nicht schlafen!"

Schreiben Sie
mit diesen „Sätzen"
eine Geschichte

Ü4
zu 10A1

Was paßt zusammen?
Machen Sie Sätze und schreiben Sie damit eine Geschichte

Die Römer
Die 1. römische Legion
General Fortissimus
Die Germanen
Die Soldaten
Der Koch

waren	ganz vorne
tranken	laut
griffen ..... an	nach Gallien
trugen	ein großes Fest
eroberten	die Grenze
warteten	hinten
marschierten	das Lager
fuhr	schwere Waffen
schützten	ganz Gallien
feierten	an den Rhein
verließ	die Römer
standen	viel Essen auf seinem Wagen
sangen	keinen von den Germanen
sprangen	alle weg
marschierte	von den Bäumen
schwammen	Bier
hatte	am Ufer
kamen	auf der anderen Seite
konnten ..... sehen	von oben
landeten	Schiffe
bauten	auf ihre Schilde
fuhren	über den Fluß
	durch den Fluß

Ü5
zu 10A3

Was tun die drei Männer?
Wie sehen sie aus?

Tätigkeit	Gesicht	Kleidung
gehen	groß	...

Tätigkeit	Gesicht	Kleidung
...	...	...

Ü6
zu 10A4

Ordnen Sie die Wörter

Ausbildung/Studium	Beruf / berufliche Tätigkeit
Student(in), ...	Arbeiter(in), ...

Arbeiter(in)   Werkstatt   Germanistik   Besenbinder   Mitarbeiter(in)
Hausmeister(in)   Student(in)   Urlaub   Ärztin   Sekretär(in)   Arzt
Dolmetscher(in)   Klasse   Magister   Ferien   Berater(in)   Hausmann
Lehrer(in)   Chef(in)   Dozent(in)   Kollege   Klassenzimmer   Meister(in)   Abitur
Hausfrau   bei Ford   Schule   Kollegin   Universität   Einbrecher(in)   Mittagspause
Schauspielausbildung   8-Stunden-Tag   Anglistik

Ü 7 zu 11A1   **Was gehört zusammen?**

	Musik	Film	Geld	Winter	spielen	auf-stehen	Reise	naß	Wande-rung	spre-chen	Fuß	Ferien
Koffer												✗
Fahrrad												
Papagei												
Schuh												
Wecker												
Surfbrett												
Skier												
Handtasche												
Fernseher												
Schirm												
Gepäck												
Cassetten-recorder												
Schachbrett												

Ü 8 zu 11A2   **Finden Sie die folgenden Farben eher „warm" oder „kalt"?**

```
   rot        lila      gelb       orange        braun        grün

   pink     blau (dunkel- / hell-)      rosa       türkis       beige

            (und weitere Farben in Ihrer Umgebung)
```

```
            warm                                              kalt
      4       3       2       1       0       1       2       3       4
  ◄───█───────┼───────┼───────┼───────█───────┼───────┼───────┼───────█───►
```

Sortieren Sie auch die Bilder im *Lehrbuch*, Seite 40–41, nach „warm" und „kalt"

Ü 9 zu 11A2   **100 Mark sind . . . . .**

	viel,	wenig,	fast nichts,
wenn man sie verliert.			
wenn man dafür 200.000 DM im Lotto gewinnt.			
wenn man im Monat 1.500 DM verdient.			
wenn ich dafür meiner Freundin/meinem Freund ein Geschenk kaufe.			
wenn man sie in einem Monat für Zigaretten bezahlt.			
wenn man dafür			
eine schicke Krawatte			
einen Pullunder			
ein paar Schuhe			
einen Hut			
ein Jackett			
einen Rock			
einen Schal			
. . . . .kaufen kann.			

Ü 10 zu 12A3   **Oskars Unfallpartner berichtet. – Bitte ergänzen Sie**

Heute morgen ging alles schief. Ich habe den ① _____ nicht gehört und verschlafen. Darum hatte ich große ② _____ ; ich wollte schnell zur ③ _____ . Aber der Fahrstuhl ④ _____ ⑤ _____ ! Dann wollte mein Auto nicht ⑥ _____ . Es hatte kein ⑦ _____ mehr. Also mußte ich zuerst ⑧ _____ ⑨ _____ . Dann ⑩ _____ ich los, aber alle Ampeln ⑪ _____ ⑫ _____ . Plötzlich kam mir ein Skateboardfahrer ⑬ _____ . Er ⑭ _____ auf der falschen ⑮ _____ . Wir ⑯ _____ zusammen mein Auto ⑰ _____ ⑱ _____ . Zum Glück war ⑲ _____ ⑳ _____ . Die Polizei war ㉑ _____ da. Der andere war ㉒ _____ an dem Unfall. Er durfte nicht auf der ㉓ _____ ㉔ _____ . Er sollte ㉕ _____ ㉖ _____ . Aber er wollte nicht zahlen. Da hat ihn der Polizist ㉗ _____ . Mein Auto war ㉘ _____ und mußte ㉙ _____ ㉚ _____ . Ich bin dann zu Fuß zur Arbeit gegangen.

Ü 11 zu 12A3   **Bitte sammeln und ergänzen Sie**

① *Wecker* / ② ....

+ Punkte	– Punkte
Urlaub mit der Familie	*keine Parkplätze*

AUTO

Automarkt	*Motor*

„Auto-Plätze"   einzelne Teile

Ü 12 zu 12A1–7

①	②	③	④
Vorfahrt	Äpfel	Rabatt	Aufstehen
Verkehr	Garten	Säufer	Waschen
Hände	Leiter	Flaschen	Frühstück
Führerschein	Unfall	Schwermut	Wecker
Auto	pflücken	Restaurant	Bier

⑤	⑥	⑦	⑧
Augen	umtauschen	Küche	Partner
Mund	Ware	Quadratmeter	schlank
Kaffee	Kunde	Flur	sportlich
Ohren	Garantiezeit	Zahnbürste	Beine
Nase	Obergeschoß	Balkon	naturliebend

a) In jeder Wortgruppe paßt ein Wort nicht – welches?
b) Ordnen Sie jedes „falsche" Wort in eine passende Gruppe ein.
c) Suchen Sie für jede Gruppe einen Titel (Oberbegriff).
d) Suchen Sie weitere Wörter für jede Gruppe.

das Problem

Ü 13
zu 9-12A Was sagen (fragen) Sie?

1. *somebody* Jemand sagt zu Ihnen: "Hier dürfen Sie nicht parken!"

2. Sie fahren mit dem Zug; sie sitzen im "Nichtraucher"-Wagen. Plötzlich fängt jemand an zu rauchen. *suddenly*

3. Sie sind in einem Restaurant; Sie müssen dringend telefonieren.

4. Ihr Freund möchte Sie mit seinem Auto nach Hause bringen; er hat aber schon vier Bier getrunken.
   a) Sie lehnen ab.
   b) Sie machen einen anderen Vorschlag.

5. Herr K. behauptet, daß er Sie kennt. Sie kennen Herrn K. aber nicht.
   to claim, assert   suggestion

6. Bei Familie Neumeier ist seit zwei Tagen die Garage offen, und der Zeitungskasten ist nicht geleert.
   a) Sie sprechen mit einem anderen Nachbarn.
   b) Sie rufen bei der Polizei an.

7. Sie können nicht in ihre Wohnung, weil Sie Ihren Haustürschlüssel verloren/vergessen haben. Sie klingeln bei einem Nachbarn.

8. In der Wohnung Ihres Nachbarn ist fast jeden Abend bis in die Nacht so viel Lärm, daß Sie nicht schlafen können. Sie beschweren sich.

9. Ein Verkäufer möchte Ihnen einen neuen Staubsauger verkaufen. *Vacuum cleaner*
   a) Sie haben schon einen.
   b) Sie brauchen keinen.
   c) Sie interessieren sich für den Staubsauger, aber der Preis ist Ihnen zu hoch.

10. Sie haben sich um einen Arbeitsplatz beworben. Der Personalchef fragt sie nach Ihrer Herkunft, nach Ihrer Ausbildung und nach Ihrer bisherigen beruflichen Tätigkeit. *werben – recruit – training – origin – up to now*

11. Fassen Sie kurz den Inhalt des Märchens "Die Sterntaler" zusammen.

12. Ihre Freundin sagt zu Ihnen: "Welches Bild (auf S. 40 und 41 des *Lehrbuchs*) gefällt dir (nicht)?" Sagen und begründen Sie Ihre Meinung.

13. Beschreiben Sie bitte Ihr Gepäck (Koffer, Tasche).

14. Sie haben Ihre Uhr verloren. Sie gehen zum Fundbüro. Was sagen Sie?

15. Sie möchten sich einen Pullover / ein T-Shirt / eine Hose kaufen. Sie gehen in ein Geschäft und sprechen mit der Verkäuferin.

16. Ihre Freundin sagt zu Ihnen: "Schau mal, wie findest du meine neue Jacke / mein neues Kleid / meinen neuen Hut?"

17. Sie möchten ein blaues T-Shirt (gut, preiswert). Der Verkäufer zeigt Ihnen aber nur ein grünes T-Shirt, das ziemlich teuer ist.

18. Beschreiben Sie kurz Ihre neue Wohnung / Ihr neues Zimmer.

19. Sie haben in der Zeitung folgende Wohnungsanzeige gelesen: "Möbl. 1-Zi-Whg, 260,-, Tel. ..." Sie rufen an: Was fragen Sie?

20. "Ohne Teiche ... keine Deutschen!" Ihr Freund versteht das nicht. Erklären Sie es ihm bitte.

21. Sie haben eine Hose gekauft; zu Hause sehen Sie, daß die Hose ein Loch hat. Sie gehen in das Geschäft zurück und sprechen mit dem Verkäufer.

22. Sie lernen in einer Fahrschule Auto fahren. Der Fahrlehrer zeigt Ihnen dieses Bild:

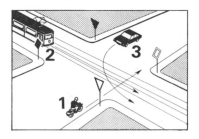

Er fragt Sie: "Wer darf zuerst fahren, wer dann? Warum?"

23. Erzählen Sie den Schluß des Märchens "Rotkäppchen".

24. Jemand fragt Sie: "Warum rauchen Sie so viel?"

verbringen = to spend.

A Wörter: Machen Sie ein Kreuz

1. Hier ist Rauchen verboten; hier ..... Sie nicht rauchen!

a	müssen
b	dürfen ✓
c	wollen
d	möchten

2. "Entschuldigen Sie bitte, ... Sie mir sagen, wie spät es ist?"

a	wollen ✗
b	dürfen
c	sollen
d	können ✓

3. "Eine Super-Uhr! Und ganz billig!" – "Nein, danke, ich ..... keine Uhr, ich habe schon eine."

a	benutze
b	gebrauche
c	brauche ✓
d	mag

4. Der Personalchef: "Sie haben sich bei uns beworben; was für eine ..... haben Sie?

apply for a job

a	Bildung
b	Ausbildung ✓ vocational
c	Beruf
d	Studium

5. "Hier sind zwei Bilder: ..... Sie bitte die Bilder."

a	beschreiben ✓
b	schreiben
c	erzählen
d	zählen

6. "Schau mal, wie ..... dir meine neue Jacke?"

a	findest
b	siehst
c	gefällt ✓
d	steht

7. Der Taxifahrer fragt: "Haben Sie noch mehr ..... ?"

a	Kleider
b	Tasche
c	Kleidung
d	Gepäck ✓

8. Sie haben Ihre Handtasche verloren; Sie gehen zum ..... .

zur

a	Gepäckträger
b	Polizei
c	Fundbüro ✓
d	Bahnhof

9. "Schau mal, hier: 40m^2 und nur 200 Mark."– Er/Sie liest gerade eine ..... .

a	Heiratsanzeige
b	Wohnungsanzeige ✓
c	Vermietung
d	Appartement

10. "2 ZKB" bedeutet ..... .

a	2 Zimmer, Kochnische, Balkon
b	2 Zimmer, Kochnische, Bad
c	2 Zimmer, Küche, Balkon
d	2 Zimmer, Küche, Bad ✓

11. Eine fehlerhafte Ware kann man ..... .

a	vergessen
b	verkaufen
c	umtauschen ✓
d	wechseln

12. Wer darf hier zuerst fahren; wer hat .....?

a	Zeit
b	ein Auto
c	recht
d	Vorfahrt ✓

B Grammatik: Machen Sie ein Kreuz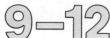

1. "Entschuldigung, ... ich hier telefonieren?"
   - a   könne
   - b   kenne
   - c   können
   - d   kann

2. Hier ist Parken verboten; hier ..... man nicht parken.
   - a   darf
   - b   darfst
   - c   dürft
   - d   dürfen

3. Carlo hat gesagt,
   - a   daß heute er nicht kommen kann.
   - b   daß er heute nicht kann kommen.
   - c   daß er kann kommen nicht heute.
   - d   daß er heute nicht kommen kann.

4. Antek Pistole machte Besen, die nie .....
   - a   kaputtgehten
   - b   kaputtgingen
   - c   kaputtgehen
   - d   kaputtgegangen

5. Von 1980 bis 1985 ..... ich bei der Firma X, danach ..... .
   - a   arbeitete
   - b   arbeitet
   - c   arbeite
   - d   arbeiten

6. Die drei Männer sprachen miteinander, nachdem sie einander zufällig ..... .
   - a   begegneten
   - b   begegnet waren
   - c   begegnet haben
   - d   begegnet hatten

7. Wenn ich Zeit habe,
   - a   besuche ich dich.
   - b   ich besuche dich.
   - c   ich dich besuche.
   - d   besuche dich ich.

8. Ein Besenverkäufer ist ein Mann,
   - a   der was verkauft Besen.
   - b   die Besen verkauft er.
   - c   und verkauft er Besen.
   - d   der Besen verkauft.

9. Das ist wirklich ein ..... Bild.
   - a   schönen
   - b   schöne
   - c   schöner
   - d   schönes

10. "Nimm die ..... Jacke, die steht dir besser."
    - a   blauer
    - b   blaues
    - c   blaue
    - d   blauen

11. Der rote PKW hat Vorfahrt, ... er von rechts kommt.
    - a   denn
    - b   weil
    - c   deshalb
    - d   nämlich

12. "Ich habe die Wohnung gemietet, ... die Miete sehr hoch ist."
    - a   zwar
    - b   dennoch
    - c   obwohl
    - d   damit

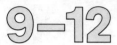

C Orthographie: Schreiben Sie bitte die Wörter 🔑

Frau B. hat ⓪ne Schr①bmasch②ne gekauft. Zw③
Buchst④ben funktion⑤ren nicht. ⑥r Fr⑦nd
kann sie repar⑧ren. Aber Frau B. br⑨ngt sie
⑩ns Geschäft zur⑪ck.

H⑫te habe ich mir eine n⑬e Uhr gekauft. Der
Verk⑭fer war sehr fr⑮ndlich; die Uhr war sehr
t⑯er, aber sie l①⑦ft nicht. Sch⑱ßlich!

"Auf der Stra⑲e ⑳eht da㉑ Wa㉒er."
"Ha㉓ du ver㉔anden, wa㉕ er gesagt hat?" –
"Nein." – "Da㉖ ist auch kein Wunder." – "Wa㉗?" –
"Da㉘ du ihn nicht ver㉙anden ha㉚."

Die W㉛re h㉜t einen F㉝ler; d㉞rum will Herr A.
die R㉟parat㊱r nicht bez㊲len.

0	*eine*	19	
1	}	20	
2	}	21	
3		22	
4		23	
5		24	
6		25	
7		26	
8		27	
9		28	
10		29	
11		30	
12		31	
13		32	
14		33	
15		34	
16		35	}
17		36	}
18		37	

D Lesen: Ergänzen Sie die passenden Wörter 🔑

Carlo Manzoni

Der Hausschlüssel

Herr Veneranda blieb vor einer Haustür stehen, betrachtete die dunklen geschlossenen Fensterläden und pfiff abermals, als wolle er jemanden rufen. An einem Fenster des dritten ⸏1⸎ erschien ein Herr.

„⸏2⸎ Sie keinen Schlüssel?", schrie ⸏3⸎ Herr, um sich verständlich ⸏4⸎ machen.

„Nein, ich habe ⸏5⸎ Schlüssel", schrie Herr Veneranda.

„⸏6⸎ die Haustür zugeschlossen?" ⸏7⸎ der Herr am Fenster wieder.

„⸏8⸎, sie ist zu", antwortete ⸏9⸎ Veneranda.

„Dann werfe ich ⸏10⸎ den Schlüssel hinunter."

„Wozu?" ⸏11⸎ Herr Veneranda.

„Um die ⸏12⸎ aufzuschließen", erwiderte der Herr ⸏13⸎ Fenster.

„Also gut", schrie ⸏14⸎ Veneranda. „Wenn Sie wollen, ⸏15⸎ ich die Haustür aufschließe, ⸏16⸎ werfen Sie mir nur ⸏17⸎ Schlüssel herunter."

„Aber müssen ⸏18⸎ denn nicht herein?"

„Ich? ⸏19⸎. Wozu auch?"

„Wohnen ⸏20⸎ denn nicht hier?" fragte der ⸏21⸎ am Fenster, der ⸏22⸎ mehr recht mitkam.

„Ich? Nein", ⸏23⸎ Herr Veneranda zurück.

„Und ⸏24⸎ wollen Sie dann den ⸏25⸎ ?"

„Wenn Sie wollen, daß ⸏26⸎ die Tür aufschließe, muß ich ⸏27⸎ doch mit dem ⸏28⸎ aufschließen. Glauben Sie vielleicht, ⸏29⸎ könnte es mit einer Pfeife?"

„⸏30⸎ will gar nicht, ⸏31⸎ die Tür aufgemacht wird", ⸏32⸎ der Herr am ⸏33⸎. „Ich meinte, Sie wohnten ⸏34⸎ ; ich hörte Sie pfeifen."

„⸏35⸎ denn alle, die hier ⸏36⸎ Haus wohnen?" erkundigte sich ⸏37⸎ Veneranda mit voller Lautstärke.

„Nur ⸏38⸎ sie keinen Schlüssel ⸏39⸎ ", antwortete der Herr oben.

„⸏40⸎ habe keinen Schlüssel", schrie Herr Veneranda.

1 *Stockes*			
2	3	4	
5			
6	7		
8	9		
10			
11			
12	13		
14	15		
16	17		
18			
19			
20	21	22	
23			
24	25		
26	27		
28	29		
30	31	32	
33	34		
35	36	37	
38	39		
40			

○ **E** **Schreiben**

1. Schreiben Sie einen Brief

Sie suchen eine Wohnung in Bielefeld. In der Zeitung "Bielefelder Tageblatt"
lesen Sie die folgende Anzeige:

> **Wohnungen und App.** westlich der Universität Bielefeld zu verm. Auskunft: XA 5177

Sie interessieren sich für eine der Wohnungen.

Sie möchten aber noch <u>mehr</u> über die Wohnung wissen.

Sie schreiben deshalb einen Brief.

Schreiben Sie <u>auch</u> etwas über <u>Ihre Person</u>, <u>Ihre Familie</u> und über <u>Ihre Wünsche</u> bezüglich der Wohnung.

2. Erzählen Sie (schriftlich) den Inhalt des Märchens „Die Sterntaler"

Sie können dabei die folgenden <u>Stichwörter</u> benutzen:

kleines Mädchen: Vater und Mutter tot;
        arm: kein Kämmerchen, kein Bettchen;
        nur noch: Kleider auf dem Leib,
                Stück Brot.

Gut und fromm; hinaus ins Feld;
armer Mann: hungrig; Stück Brot.

1. Kind: "Es friert mich am Kopfe."
2. Kind: kein Leibchen, kalt.
3. Kind: kein Röcklein.

Wald, dunkel; 4. Kind: kein Hemdlein.

Mädchen: nichts mehr am Leib.
Plötzlich: Sterne vom Himmel, blanke Taler.
Neues Hemd.
Reich.

Ü1 Wie bastelt man einen Würfel?

2

So steht es in der
Anleitung:

a) Erklären Sie einer Freundin/ einem Freund, wie man das macht.	b) Schreiben Sie: Wie haben Sie das gemacht?

① Ein Stück Pappe nehmen.

a) Nimm (zuerst) ein Stück Pappe.

b) Du nimmst (zuerst) ein Stück Pappe.

Ich habe (zuerst) ein Stück Pappe genommen

② Vier Quadrate (Seitenlänge 3 cm) auf diese Pappe zeichnen. Die Quadrate sollen in einer Linie von links nach rechts nebeneinander liegen.

③ Je ein Quadrat über und unter das dritte Quadrat von links zeichnen. Auf diese beiden Quadrate die Zahlen „3" und „4" schreiben.

④ Auf das erste Quadrat eine „1", auf das dritte eine „6" schreiben, auf das zweite eine „2" und auf das vierte eine „5".

⑤ Dann die ganze Figur ausschneiden und einen Körper daraus machen. Die Zahlen sollen nach außen zeigen.

Wenn die Zahlen auf den gegenüberliegenden Flächen zusammen immer die Zahl "7"
ergeben, ist die Aufgabe richtig gelöst.

3/4 Ü2 Hören – Verstehen – Mitschreiben – Notieren

a) Hören Sie den Anfang des Interviews und lesen Sie mit

● Eine Frage an Herrn Roscher, den Küchenchef des "Hoberger Landhauses" in Bielefeld: Wie bereitet man Kartoffelpüree?

○ Ja, Kartoffelpüree. Wir sind der Meinung, daß man selbst ein Gericht wie das Kartoffelpüree, das (man) ... mittlerweile zur klassischen Küche gehört, daß man sich auch bei diesen Dingen sehr viel Mühe geben muß.

b) Hören Sie weiter und notieren Sie bitte: Welche Zutaten braucht man?

Zutaten: *engredients*

...

c) Wie wird Kartoffelpüree zubereitet? – Beschreiben Sie die Arbeitsgänge nach diesem Muster:

Die Arbeitsgänge:	*Zuerst wird die Kartoffel geschält.*
Kartoffeln	*Dann ... wird sie geschnitten*
● schälen	
● schneiden	
● kochen	
● nicht zu lange!	
Milch	
● mit Butter versetzen	
● Muskat hineinreiben *grate*	*gerieben*
● salzen	*Dann wird die gesalzen*

Wie lange müssen die Kartoffeln kochen?	*28 .*
Die gekochten Kartoffeln	*Zuerst werden die Kartoffeln gekocht.*
● durch die Kartoffel-presse in ein Gefäß pressen	*Dann werden sie in ein Gefäß gepresst durch die Kartoffelpress*
● heiße Milch über-gießen	*übergossen*
● Milch unterrühren	*untergerührt*
● mit Schneebesen vorsichtig unter-rühren	
● dann schlagen	

d) Hören Sie weiter und ergänzen Sie bitte 🔑

o Es wird etwas sch _aumig_____ . Man s_____ also n_____ n_____

"K_____", man n_____ es auch "K_____".

Und auf d_____ W_____ err_____ wir die sch_____ Konsistenz -

ist es zu f_____ , g_____ wir noch e_____ M_____ nach -,

und so w_____ aus diesem K_____ eine l_____ B_____

zu sehr v_____ g_____ G_____ .

e) Hören Sie weiter und schreiben Sie den Schluß des Interviews wörtlich mit 🔑

● Vielen Dank, Herr Roscher.
○ ...

Ü3 „Suppen-Festival": Wie wird Tomatensuppe gekocht?

Tomatensuppe

Zutaten für 6 Personen

500 g Tomaten
2 Zwiebeln
2 Möhren
1 Eßl. Mehl
Petersilie
50 g Butter
Zucker
60 g Reis
Salz
Pfeffer

Zubereitung

1. Zwiebeln und Möhren in Stücke schneiden. In etwas Butter goldbraun anbraten.

2. 1 Eßl. Mehl bei ständigem Umrühren dazugeben.

3. Tomaten halbieren und hineingeben.

4. Salz, Pfeffer, Petersilie, 1 Eßl. Zucker und etwas Wasser dazugeben. Bei geringer Hitze kochen.

5. Von der Kochstelle nehmen. Die Suppe durch ein Sieb oder eine Püreepresse geben.

6. Wieder auf die Kochstelle geben, mit 1 l Brühe oder Wasser verflüssigen und aufkochen lassen.

7. Reis 20 Min. in Salzwasser kochen und mit der restlichen Butter hinzufügen.

Anmerkung: Der Reis kann durch 3 Eßl. Stärkemehl ersetzt werden.

Zuerst werden Zwiebeln und Möhren in Stücke geschnitten ...

75

5 Ü4 Was passiert, wenn man .....? – Schreiben Sie nach dem folgenden Muster

BEDIENUNGSELEMENTE UND ANZEIGELAMPEN

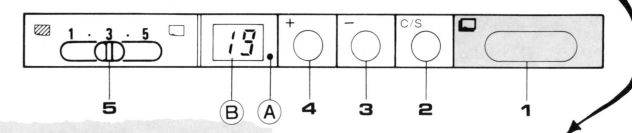

1 Kopiertaste:
 Durch Druck auf diese Taste
wird ein Kopiervorgang ausgelöst.

*Wenn man auf diese Taste drückt,
wird ein Kopiervorgang ausgelöst!*

2 Lösch-/Stop-Taste:

a) Durch einmaliges Drücken
dieser Taste wird ein Mehrfachkopiervorgang gestoppt.

Wenn

wird

b) Nochmaliges Drücken setzt
die Anzeige auf „1" zurück.

Wenn

3 „−"-Taste:
Vermindern der gewünschten
Kopienzahl zwischen 1 und 19.

Wenn

4 „+"-Taste:
Erhöhen der gewünschten
Kopienzahl zwischen 1 und 19.

5 Belichtungsregler:
Mit dem Belichtungsregler kann der
Kontrast der Wiedergabe eingestellt
werden.

 Ist die Wiedergabe zu dunkel ,
muß der Belichtungsregler nach
rechts verschoben werden.

Wenn

 Ist die Wiedergabe zu hell ,
muß der Belichtungsregler nach
links verschoben werden.

Wenn

Ü 5 „So bedienen Sie den Kopierer EP 50"
Hören Sie und lesen Sie mit: Über welche Taste wird gesprochen? Notieren Sie

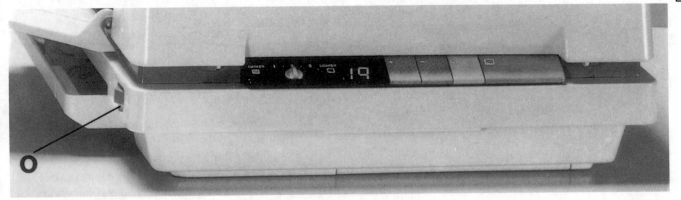

a) "Das Original lege ich in den rechten oberen Winkel auf die Anlage-Glasfläche und taste jetzt über die linke blaue Taste die gewünschte Stückzahl ein, indem ich die Summe nach oben hin addiere. Über die zweite Taste, die Sie hier rechts daneben sehen, über die Minus-Taste, kann ich diese Auflage auch wieder reduzieren."	
b) "Im linken Bedienerfeld habe ich die Möglichkeit, die Belichtung zu verändern. Innerhalb der Skala, die von 1 bis 5 reicht und bei der der mittlere Wert 3 für fast alle Originale der richtige ist, kann ich jetzt bei extremen Vorlagen zum Dunkleren oder zum Helleren hingehen."	
c) "Den Kompaktkopierer EP 50 möchte ich Ihnen einmal in Aktion vorstellen. Das beginnt damit, daß ich ihn an der linken Seite durch Knopfdruck einschalte. In weniger als 30 Sekunden, wenn nämlich das Blinken dieser Lampe aufgehört hat, ist er betriebsbereit, und ich kann jetzt meine Kopien erstellen."	*a*
d) "Die höchstmögliche Auflage beträgt 19 Kopien, die ich entweder von unten nach oben oder auch von oben nach unten ansteuern kann."	
e) "Und mit der orangefarbenen Taste kann ich korrigieren, wenn ich eine Fehleingabe gemacht habe."	
f) "Ich werde jetzt 15 Kopien vorwählen, betätige die grüne Kopiertaste, und die Maschine beginnt jetzt, diese Kopien zu erstellen."	
g) "Bei einer sehr schwachen Vorlage gehe ich um den entsprechenden Wert nach links, also zur 1 hin. Und wenn ich eine dunkle Vorlage habe, die ich in der Gesamterscheinung heller werden lassen will, bewege ich diesen Schalter hin bis zur 5."	

6 | Ü6 | Hören – Verstehen – Notieren/Markieren

a) Lesen Sie zuerst die folgenden Hinweise und Worterklärungen

Hinweise:

Sie hören eine Verkehrsdurchsage im Radio. Sie bekommen Informationen über die Verkehrssituation auf den Autobahnen und Fernstraßen in Bayern: Dichter Verkehr und Stauungen. An den Grenzübergängen nach Österreich gibt es Wartezeiten.

Folgende Namen von Autobahn-Anschlußstellen und Grenzübergängen hören Sie:

Anschlußstelle Hofoldinger Forst
 (ca. 15 km südöstlich von München)

Anschlußstelle Holzkirchen
 (ca. 25 km südöstlich von München)

Autobahndreieck Holledau
 (ca. 40 km nördlich von München)

Anschlußstelle Allershausen
 (ca. 22 km nördlich von München)

Anschlußstelle Eschenlohe
 (ca. 75 km südlich von München)

Grenzübergang Salzburg
 (in der Nähe von Salzburg)

Grenzübergang Mittenwald/Scharnitz
 (ca. 30 km nordwestlich von Innsbruck)

Worterklärungen

die **Verkehr/s/durchsage** (im Radio): **Durchsage** (im Radio) über den **Verkehr** auf den Straßen und Autobahnen

die **Fern/straße**: eine **Straße**, die man benutzt, wenn man weit („in die **Ferne**") fährt, z. B. von Frankfurt nach München

der **Grenz/übergang**: eine Stelle, an der man **über** die **Grenze gehen** oder fahren kann (von einem Land in das andere)

die **Warte/zeit**: die **Zeit**, die man (z. B. an der Grenze) **warten** muß

die **Autobahn-Anschluß/stelle**: eine **Stelle**, an der man auf die **Autobahn** fahren kann bzw. an der man die Autobahn verlassen kann

das **Autobahn-Dreieck**: eine **Stelle**, an der zwei **Autobahnen** zusammenkommen

der **Reise/verkehr**: der **Verkehr** (auf den Straßen und Autobahnen), der dadurch entsteht, daß sehr viele Menschen zur gleichen Zeit mit dem Auto in Urlaub fahren (eine Urlaubs**reise** machen)

die **Überhol/spur**: die **Spur** (auf der Autobahn), auf der man andere Autos **überholen** kann

die **Unfall/stelle**: die **Stelle** (auf einer Straße oder Autobahn), an der ein (Verkehrs-)**Unfall** passiert ist

die **Bau/stelle**: die **Stelle** (hier: auf der Autobahn), an der man die Straße **baut** oder renoviert

b) Hören Sie jetzt die Verkehrsdurchsage und beantworten Sie die folgenden Fragen

1. Wo ist dichter Verkehr?

2. Auf welchen Straßen gibt es Staus?

3. Was sind die Ursachen für die Staus?

4. Wie ist die Situation an den Grenzübergängen?

c) Hören Sie die Durchsage noch einmal in kleinen Abschnitten und lösen Sie die folgenden Aufgaben

1. Markieren Sie auf der Karte mit Rotstift die Autobahnabschnitte, auf denen es Staus gibt.

2. Welche Nummern haben die Autobahnen, auf denen es Staus gibt?

3. Malen Sie einen roten Kreis um die Grenzübergänge, an denen die Autofahrer warten müssen.

4. Wo müssen die Autofahrer warten? Wie lange?

Ü7 Den Inhalt des Textes „Liebe Urlaubsreisende!" kann man einfacher ausdrücken.
Lesen Sie die Formulierungsvorschläge und vergleichen Sie mit dem Originaltext

So steht es im Text:	Formulierungsvorschlag: einfacher gesagt
Zeile 1: ... steht vor der Tür.	... beginnt nun bald.
Zeile 2: ... Im Familienrat ...	... In (mit) Ihrer Familie ...
Zeile 3: ... mit dem eigenen Fahrzeug anzusteuern ...	... mit Ihrem Auto zu (+ Dativ) zu fahren.
Zeile 4: ... die verkehrsreichen Tage meiden.	... an Tagen fahren, an denen nicht so viel Verkehr ist.
Zeile 6/7: ... kommt es ... zu Staus und quälenden Stop-and-go-Fahrten.	... entstehen ... Staus, und die Autos müssen oft anhalten und kommen nur langsam vorwärts.
Zeile 8: ... wählen Sie eine Fahrtroute, die weniger befahrene Landstraßen mit einschließt.	... suchen Sie sich eine Strecke aus, die auch über Landstraßen führt, wo es nicht so viel Verkehr gibt.
Zeile 12-14: ... sich zwischen der Fahrt mit dem Auto oder Motorrad und einer Bahnreise zu entscheiden ...	... zu entscheiden, ob Sie lieber mit dem Auto bzw. Motorrad oder mit der Bahn fahren wollen ...
Zeile 14-15: ... sich in die Obhut der Deutschen Bundesbahn zu begeben.	... sicher mit der Deutschen Bundesbahn zu fahren.
Zeile 17:... zusätzliche Urlaubsentspannung ...	... mehr freie Zeit und Ruhe ...
Zeile 17: Vielfach ...	Oft ...
Zeile 18-19: ... wenn die besonderen Angebote zielstrebig wahrgenommen werden.	... wenn man die Sonderangebote konsequent ausnutzt.
Zeile 20: ... gegebenenfalls ...	... wenn Sie mit der Bahn fahren wollen ...

Ü8 Schreiben Sie jetzt den Text einfacher

Lassen, when governing inf = to cause make, allow

7 **Ü 9** **Ergänzen Sie die folgende Stichwörter-Liste**

Liselotte Rauner
Ein schöner Tag

Zeilen

1-4   Sonntag, 6 Uhr: Raus! Hetze: Dusche, Tisch, Kaffee

4-5   Vater: Wagen, Garage, hupt

6-9   Raus, frische Luft, gesund

10-12   Till: *5* ; Dieter: _____ ; kleiner Bruder: _____

12-18   Dieter denkt an Freunde: _____

                _____

                Dieter: Familie, _____

19-25   Erster Stau: _____

                _____

26-28   Nächste Schlange: _____

                _____

29-35   Pause: _____

                _____

35-42   Freie Natur: _____

                _____

42-44   Prognose für Heimfahrt: _____

Ü 10 **Schreiben Sie die Geschichte mit Hilfe der Stichwörter**

Es ist wieder Sonntag, 6 Uhr früh ...

Ü 1 **Verben gesucht** 🔑

Rotkäppchen soll das Essen zur Großmutter ③ *hinbringen* _____ .

Sag ihm, er soll sofort ① *her* _____ , ich brauche ihn!

Bitte nichts ⑦ *an* _____ , das geht leicht kaputt!

Die Schüler sollen in der Schule ⑩ *auf* _____ .

Das Papier bitte vom Boden ⑧ *auf* _____ !

Sie müssen das Papier zuerst ⑥ *Zusammen*_____, dann die Figur

mit einer Schere ⑬ *aus*_____ und zum Schluß die Seiten mit einem

Farbstift ② *be*_____.

Sie wollen Kartoffelpüree ⑫ *zu*_____? Dann müssen Sie die Püreeflocken

in die Milch ⑪ *ein*_____, alles kurz ⑤ *auf*_____ lassen

und zum Schluß noch etwas Butter ⑭ *zu*_____.

Mit dem Belichtungsregler können Sie den Kontrast ④ *ein*_____; mit

dem grünen Knopf können Sie den Kopiervorgang ⑨ *aus*_____.

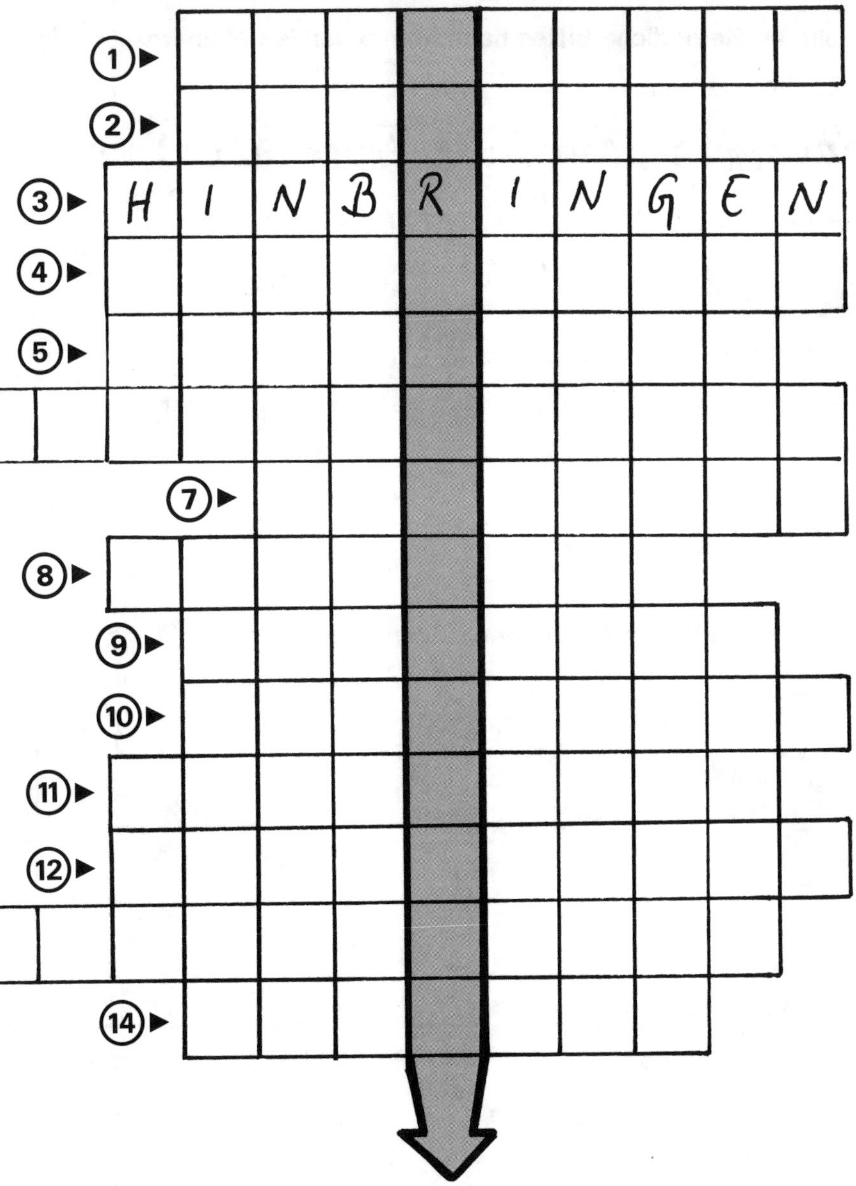

Ö = O
Ü = U

① ▶
② ▶
③ ▶ H I N B R I N G E N
④ ▶
⑤ ▶
⑥ ▶
⑦ ▶
⑧ ▶
⑨ ▶
⑩ ▶
⑪ ▶
⑫ ▶
⑬ ▶
⑭ ▶

Lösungswort: _____

1 **Ü1** Appelle an uns alle: Bilden Sie Sätze nach dem folgenden Muster

Beispiel: auf/hören: *"Hören wir doch auf!"*

Aufgaben: 1. an/fangen   2. Schluß machen   3. nach Hause gehen   4. noch fünf Minuten warten   5. ihnen noch eine Chance geben   6. einmal ehrlich sein   7. noch ein wenig Geduld haben   8. ihr eine Schallplatte schenken   9. einmal nach Paris fahren   10. mal unsere Lehrerin besuchen

Ü2 Dringende Bitte: Bilden Sie mit den Beispielsätzen aus Ü1
a) den Imperativ der 2. Person Singular
b) den Imperativ der 2. Person Plural

a) Hör doch bitte auf!
b) Hört doch bitte auf!
...

1/2 **Ü3** Formulieren Sie höfliche Bitten nach den folgenden Mustern

Beispiel: Feuer geben

a) Können Sie mir bitte Feuer geben?
b) Würden Sie mir bitte Feuer geben?
c) Geben Sie mir (doch) bitte Feuer!

Aufgaben: 1. den Satz noch einmal wiederholen   2. etwas langsamer sprechen   3. die Aufgabe noch einmal erklären   4. einen Moment warten   5. mir einen Hundertmarkschein wechseln   6. die Tür schließen   7. der Lehrerin sagen, daß ich krank bin   8. diesen Brief zur Post bringen   9. mich morgen nachmittag anrufen   10. mir Ihre Telefonnummer geben

3/4 **Ü4** Wie kann man Filterkaffee kochen? Schreiben Sie bitte

1, Zuerst wird Filterpapier...
...
...
2, ...
...

1. Filterpapier in den trockenen Filter einsetzen

2. Für jede Tasse einen Löffel voll fein gemahlenem Kaffee hineingeben

3. Mit kochendem Wasser kurz übergießen; anschließend die gewünschte Menge Wasser auf einmal auffüllen

Ü 5 Ergänzen Sie bitte 🔑

1. Wo _____werden_____ hier Autos _____repariert_____ ? - In der Werkstatt natürlich.

2. Wie _____wird/werden_____ Tomatensuppe _____gekocht_____ ? - Mit Tomaten natürlich.

3. Warum _____werde/wird_____ ich nicht informiert? - Ich dachte, du weißt das schon.

4. Wie _____wird_____ das Wort "Kaffee" auf deutsch _____gesprochen / buchstabiert_____ ? - Mit zwei "f" und zwei "e" natürlich.

5. Wo warst du? Du _____wirst_____ schon seit einer Stunde _____erwartet_____.

6. Herzlich willkommen! Sie _____werden_____ schon _____angekommen erwartet vermißt_____

7. In der Gebrauchsanleitung _____wird_____ genau _____beschrieben_____, wie man das macht. (instruct) (ork)

8. Besuchen Sie unser Restaurant "Bonne Auberge"! Hier _____werden_____ Sie wie ein König _____bedient_____. behandelt?

9. Achtung, dreh dich nicht um! Du _____wirst_____ _____beobachtet_____. observiert (turn around)

Ü 6 Lesen Sie den Text und bearbeiten Sie die folgenden Aufgaben ➤ **5-7**

Richard Göbel

FRAUEN

Frauen werden benötigt.
Sie werden gebraucht.

Frauen werden erzogen.
Frauen werden auf ihre Rolle vorbereitet.

5 Frauen werden geheiratet.
Frauen werden verheiratet.
Frauen werden im Haus gebraucht.
Frauen werden für die Kindererziehung gebraucht.

Frauen werden fotografiert.
10 Frauen werden angeschaut.
Frauen werden als Dekoration gebraucht.
Frauen werden als Köder gebraucht.

Frauen werden beschäftigt.
Frauen werden von der Industrie gebraucht.

15 Frauen werden entlassen.
Frauen werden in der Familie gebraucht.

Frauen wurden zu den Wahlen zugelassen.
Frauen werden als Wählerinnen gebraucht.

Sie werden gebraucht.

a) *gebraucht* ist Partizip II von zwei verschiedenen Verben: Wie heißen diese Verben, und was bedeuten sie? (Eventuell im Lexikon nachschlagen!)

b) In welchen Sätzen des Textes kann man das Partizip II *gebraucht* durch *benötigt* und/oder *benutzt* ersetzen? Inwiefern ändert sich dabei der Sinn des Satzes?

c) Nur in einem Satz des Textes wird der Akteur genannt: Drücken Sie diesen Satz im Aktiv aus.

d) Denken Sie sich für weitere Sätze des Textes einen Akteur aus; formulieren Sie diese Sätze im Aktiv.

e) Kann man im Text das Wort *Frauen* immer durch das Wort *Männer* ersetzen? Diskutieren Sie diese Frage in der Gruppe.

benötigen = to need = brauchen - gebraucht
benutzen = to use = gebrauchen - gebraucht

83

8 **Ü 7** **Drücken Sie die folgenden Sätze im Passiv aus** 🔑

Tomatensuppe

1. Zuerst muß man die Zwiebeln und Möhren in Stücke schneiden. 2. Dann muß man sie in etwas Butter anbraten. 3. Erst wenn die Butter goldbraun ist, soll man einen Eßlöffel Mehl dazugeben. 4. Dann soll man die Tomaten halbieren und hineingeben. 5. Man darf die Suppe nur bei geringer Hitze kochen. 6. Schließlich kann man auch noch Reis kochen und in die Suppe geben. 7. Man kann den Reis aber auch durch drei Eßlöffel Stärkemehl ersetzen.

> *1. Zuerst müssen die Zwiebeln und Möhren in Stücke geschnitten werden.*
>
> *2. ...*

9 **Ü 8** **Ergänzen Sie bitte (→ *Lehrbuch*, S. 81)** 🔑

1. Der ADAC sagt, *daß* vor allem auf den Autobahnen in Bayern mit starken Behinderungen *gerechnet werden muß* . 2. _____ der Urlaubsort mit dem eigenen PKW _____, dann _____ auf jeden Fall die verkehrsreichen Tage _____.

3. _____ viele Baustellen in der Urlaubszeit _____, _____ Staus dennoch nicht _____.

4. Der Fachmann erklärt, _____ mit dem Belichtungsregler der Kontrast der Wiedergabe _____. 5. Er erklärt weiter, _____ der Belichtungsregler nach links _____, wenn die Wiedergabe zu hell ist. 6. _____ die Anzahl der Kopien _____ _____, muß man auf die "+"-Taste drücken.

> *daß rechnen obwohl vermeiden wenn einstellen daß*
> *wenn meiden ansteuern daß erhöhen aufheben verschieben*

Ü1 Lesen Sie den Text „Rockissima, Rockissimo" und tragen Sie die Adjektive bzw. Vergleichssätze **2**
in diese Tabelle ein:

Rocka	Komparativ	Superlativ	Vergleichssätze
schön	schöner	das schönste Mädchen	… so schön wie …
lang	länger	der längste Kanal	… viel länger als …
gut	besser	das gute Buch	das beste Buch
groß	größer	die größte Tasche	
dünn	dünner	der dünnste Mann	
dick	dicker	der dickste Mann	
kurz	kürzer	das kürzeste Haar	
blau	blauer	die blauste Hose	

Rocko			
langsam	langsamer	das langsamste Auto	
klein	kleiner	das kleinste Kind	
wenig	weniger	das wenigste Geld	
lang	länger	die längste Schlange	
langweilig	langweiliger	das langweiligste Buch	
gut	besser	der beste Lehrer	
blau	blauer	die blauste Mütze	
schwach	schwächer	die schwächste Tür	
faul	fauler	der faulste Junge	
arm	ärmer	die ärmste Frau	

Ü2 Wo kaufen Sie lieber ein, im Supermarkt oder im Laden? Schreiben Sie bitte

billiger, mehr Auswahl, schneller …..

Bedienung freundlicher …..

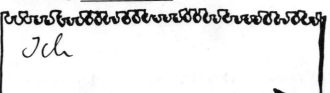

Ich kaufe lieber im Supermarkt ein, weil da die Waren
billiger

Ich

3 Ü3 **Länder beschreiben**

Schweiz

Fläche: 41.293 km^2
Einwohner: 6.455.600 = 156,3 je km^2; Städt.
Bevölkerung: 69%; Lebenserwartung: 79 Jahre;
Analphabeten: 1%; Jährl. Bev.-Wachstum: 0,1%
Bevölkerung: 5.502.194 Schweizer, 953.406 Ausländer
(Italiener, Spanier, Deutsche, Jugoslawen, Türken,
Franzosen u. a.). Staatssprachen: Amtssprachen Deutsch,
Französisch, Italienisch; Rätoromanisch als Landessprache aner-
kannt. Ca. 3.865.000 Schweizer sprechen Deutsch, 1.045.000
Französisch, 207.500 Italienisch, 49.500 Rätoromanisch.
Religion: 44,3% Protestanten, 47,6% Römische Katholiken,
3% Christ-   Hauptstadt:
katholiken,   Bern
3% Juden   (142.100
                 Einw.)

a) Lesen Sie bitte den folgenden Text über die Schweiz

Die Schweiz ist 41.293 Quadratkilometer groß. Sie hat ungefähr 6.455.000 Einwohner; im Durchschnitt sind das ca. 156 Einwohner pro Quadratkilometer. Etwa 69 Prozent der Schweizer und Schweizerinnen leben in einer Stadt.

Die Lebenserwartung der Menschen in der Schweiz ist ziemlich hoch: Sie werden durchschnittlich 79 Jahre alt.

Circa ein Prozent der Bevölkerung (das sind etwa 64.550 Menschen) kann nicht lesen und nicht schreiben.

Die Bevölkerung der Schweiz nimmt pro Jahr ungefähr um 0,1 Prozent zu.

In der Schweiz leben ungefähr 953.000 Ausländer.

Die Schweiz ist mehrsprachig: Offizielle Sprachen sind Deutsch, Französisch, Italienisch und Rätoromanisch.

Etwa 44,3 Prozent der Schweizer(innen) sind Protestanten, etwa 47,6 Prozent sind Römische Katholiken, jeweils etwa drei Prozent sind Christkatholiken und Juden. *respectively*

b) Schreiben Sie einen ähnlichen Text

1. über Österreich oder die BRD,
2. über Ihr Land.

c) Vergleichen Sie bitte zwei deutschsprachige Länder miteinander:
Fläche, Einwohnerzahl, Religionen . . . . .

Ü4 **Sammeln Sie Informationen über vier bekannte Städte im deutschsprachigen Raum: Dresden – Frankfurt/Main – Salzburg – Zürich. Sie können dabei die folgenden Lexikon-Artikel benutzen**

Dresden

Hptst. des Landes Sachsen, beiderseits der Elbe, inmitten der langgestreckten, von →Pirna bis →Coswig reichenden Elbtalweitung, 106 m ü. M., klimatische Vorzugslage, 520 000 E. (1980); Schulzentrum (Technische Universität mit Medizin. Akademie, Hochschule für Verkehrswesen, Musik, Pädagogik); Kunstakademie, zahlr. Museen und Kunstsammlungen (Gemäldegalerie, Deutsches Hygiene-Museum), Theater, Sächs. Landesbibliothek, Palais und 'Pionier-Eisenbahn' sowie zwei Freilichttheater und Bot. und Zool. Garten im 2 km² großen Erholungspark 'Großer Garten'. Bahnknotenpunkt; eine der wichtigsten Industriestädte in Mitteldtld. (Transformatoren- und Röntgenwerk, Maschinen- und Apparatebau, opt., chem. Ind., Bekleidung, Nahrungs- und Genußmittel, Zigaretten); Heimathafen der Personenschiffe der Elbeschiffahrt.

Frankfurt / Main

Kreisfreie Stadt im Reg.-Bz. Darmstadt und größte Stadt Hessens, an einer Enge der Mainaue in der Rhein-Main-Tiefebene, 629 000 E. (1980; 1939: 553 000 E.). F. ist ein überragendes Verkehrsknotenpunkt für Dtld. und Europa (Luftverkehrskreuz des Kontinents, Kreuzungspunkt der großen N-S- und W-O-Linien im europäischen Eisenbahn- und Straßenverkehr, gewinnt als Binnenhafen mit fortschreitendem Ausbau der Rhein-Main-Donau-Großschiffahrtsstraße an Bed.), ist Mittelpunkt des wichtigsten Industrieraumes im Oberrhein. Tiefland (Chemie, Elektrotechnik, Maschinenbau, Druck, Nahrungsmittel, Bekleidung, Fahrzeugbau, Eisen- und Metallwaren, Feinmechanik, Optik, Schuhe), spielt als Messestadt eine bed. Rolle, ist Banken- und Börsenzentrum sowie Sitz von Bundes- und hess. Landesbehörden und Körperschaften. An Bildungseinrichtungen hat F. die Johann-Wolfgang-Goethe-Universität, Philos.-Theol. Hochschule der Jesuiten, Frobenius-Institut für Völkerkunde, Paul-Ehrlich-Institut (experimentelle Therapie), Hochsch. für Musik, bildende Künste, Erziehung, Ingenieur- und Fachschulen, Städelsches Kunstinstitut, verschiedene Museen (Völkerkunde, Naturgeschichte, Liebighaus), Goethemuseum am Goethehaus, zahlr. Sammlungen und Bibliotheken, städt. und private Bühnen, Zoo mit Exotarium, Palmengarten.

Salzburg

Hauptstadt des österreichischen Bundeslandes S., am Austritt der →Salzach aus den Alpen, 422 m ü. M., 129 400 E. (1980). Sitz der Landesregierung, eines Erzbischofs; Univ. (1623–1810 und seit 1963, zwischenzeitl. nur

Polit. Bezirke (1980)	Fläche km²	Einw. (in 1000)
Salzburg Stadt	66	129,4
Hallein	668	45,0
Salzburg Umgebung	1004	89,5
Sankt Johann im Pongau	1755	66,8
Tamsweg	1020	22,5
Zell am See	2642	72,6
Salzburg	7155	25,8

theol. Fak.), Musik-Akad. (*Mozarteum*); Landestheater, Museen. Seit 1920 Salzburger Festspiele (Max →Reinhardt, Herbert v. →Karajan); äußerst lebhafter Fremdenverkehr (1971 rd. 2,5 Mio. Übernachtungen). Metall-, Textil-, Lebensmittel- und holzverarbeitende Industrie. *Mönchs-* und *Kapuzinerberg* und die Feste *Hohensalzburg* (1077 angelegt, um 1500 ausgebaut) umgeben die Altstadt am Salzachufer. Mittelpunkt ist der Residenzplatz mit erzbischöfl. Residenz (1596 bis 1619) und Dom (1614–28); Benediktiner-Erzabtei St. Peter (gegr. um 700) mit roman., barockisierter Stiftskirche, got. Franziskanerkirche, Kollegienkirche (1694–1707), Festspielhaus; im SO Benediktinerinnenkloster Nonnberg (gegr. um 700); bis 6stöckige Bürgerhäuser vom Inn-Salzach-Typ. In der Neustadt Barockschloß *Mirabell* (1721–27); in der Umgebung die Schlösser

Zürich

Hptst. des Kt. Z., am Ausfluß der →Limmat aus dem Zürichsee, 411 m ü. M., mit 380 000 E. (1978; als Agglomeration 720 000 E.) größte Stadt der Schweiz. Wirtschaftl. Mittelpunkt und wichtigstes Verkehrszentrum (Flughafen Z.-Kloten mit den Anlagen der →Swissair) des Landes, neben Basel und Bern bedeut. Pflegestätte des dt.-schweiz. Geisteslebens; Wirkungsstätte Zwinglis, Sitz der größten schweiz. Univ. (8800 Studierende) und der Eidgenöss. TH (6900 Studierende), von Konservatorium, Musikhochsch., zahlr. höheren Bildungsanstalten und Fachschulen sowie der Zentralbibl.; Kunsthaus, Landes-, Rietberg-Museum, Oper, Schauspielhaus, sechs Kleinbühnen, Sternwarte, Zool. und Bot. Garten. Die Altstadt beiderseits der Limmat ist weitgehend erhalten, ihr Zentrum ist der *Lindenhof*, die Stätte des röm. Kastells und der kgl. Pfalz, links des Flusses das roman.-got. Fraumünster (12./13. Jh.) und die Peterskirche, rechts der Limmat das Großmünster (11.–13. Jh., Helme 18. Jh.), got. Wasserkirche (15. Jh.) und das alte Rathaus (17. Jh.), zahlr. alte Zunfthäuser; die moderne City orientiert auf die 'Bahnhofstraße' als weltbekannte Geschäftsstraße; die Wohnviertel dehnen sich über Limmat- und unteres Sihltal bis an den →Uetliberg und nach N bis ins →Glatt-Tal. Bed. Ind.: Maschinenbau, Textil-, Graph., Papier-, Seiden- und Baumwoll-Industrie. *Geschichte:* In Z., das neoli... Bauten aufweist.

Sie wollen wissen:

1. Wie viele Einwohner hat die Stadt?

2. Wo (und wie hoch) liegt sie?

3. Welche Sehenswürdigkeiten gibt es?

4. Welche Museen gibt es?

5. Gibt es Theater/Oper?

6. Gibt es Industrie? Welche?

7. Gibt es Universitäten/Hochschulen?

a) Notieren Sie Stichwörter.

Dresden:
Frankfurt/Main:
Salzburg:
Zürich:

b) Schreiben Sie einen kurzen Text über eine der vier Städte.

c) Vergleichen Sie zwei dieser Städte miteinander.

5a Ü5 Beantworten Sie bitte die folgenden Fragen

1. Wer hat die Umfrage gemacht?

2. Wer ist bei der Umfrage gefragt worden?

3. Welche Frage(n) wurde(n) bei der Umfrage vermutlich gestellt?

4. Wie oft (in welchem zeitlichen Abstand) wird die Umfrage gemacht?

5. Wie lange schon ist "Christian" der beliebteste Vorname für Jungen?

6. Welcher Name hat 1986 am meisten verloren, welcher hat am meisten gewonnen?

Katharina verdrängt Stefanie
Christian bleibt Nummer eins

b/c Ü6 Ergänzen Sie die folgenden Sätze und erklären Sie dabei die unterstrichenen Wörter. ✍ Benutzen Sie ein Lexikon. (Vergleichen Sie auch Kap. 16B3)

Bundesrepublik an zweiter Stelle der Einbruchsstatistik

Ordnungsliebe und Fleiß bleiben die Haupterziehungsziele

1. Von Ordnung/s/liebe spricht man, wenn für jemanden _Ordnung_ _____ ganz wichtig ist.

2. a) Erziehung/s/ziele sind _____, die man in der _____ erreichen will.

   b) Haupt/erziehung/s/ziele sind _____, die in der _____ ganz besonders _____ sind.

3. Mit "Bundes/bürger" bezeichnet man die Deutschen, die in der _____ _____.

4. Sozial/wissenschaften sind _____, die die _____ Beziehungen zwischen Menschen und zwischen Gruppen von Menschen _____ _____.

5. Eine Einbruch/s/statistik ist eine _____, in der die Zahl der _____ beschrieben wird.

6. Ein Dokumentation/s/zentrum ist ein zentrales Institut, in dem Informationen gesammelt, _____ und _____ werden.

Ordnung Statistik Erziehung dokumentieren
Ziele wichtig Erziehung Wissenschaften analysieren Ziele
erforschen Einbrüche Sozial- Bundesrepublik leben wohnen

Ü 7 Wortfamilien: Ergänzen Sie die Wörter.
(Arbeiten Sie mit dem Lexikon)

Nur ein Ausländer entdeckte bei den Deutschen Humor

d

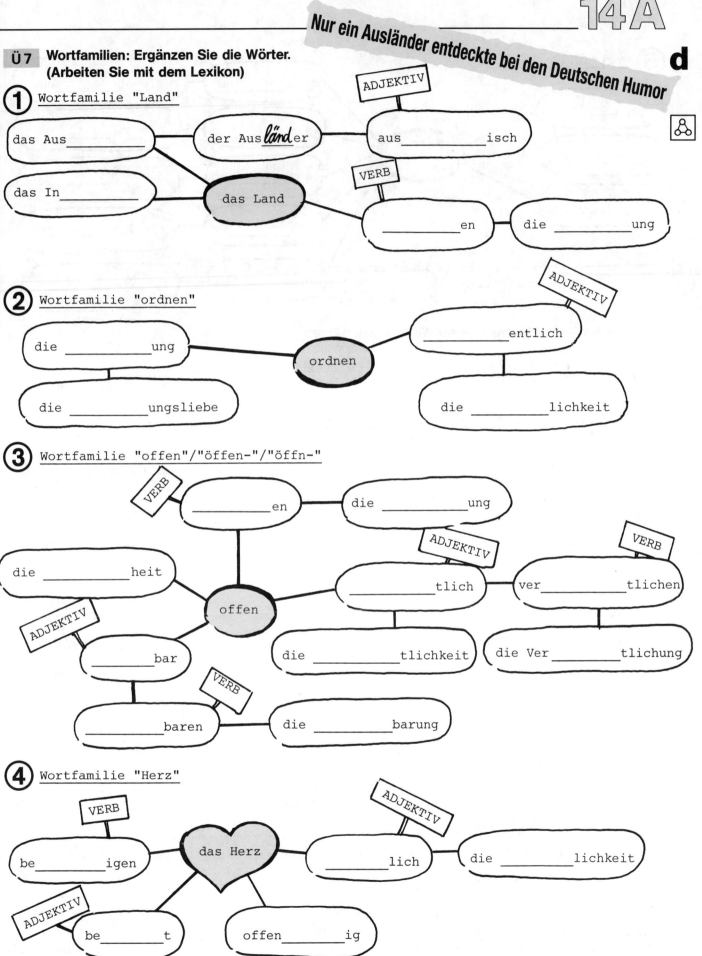

① Wortfamilie "Land"

das Aus_____ — der Aus *länd* er — ADJEKTIV aus_____isch

das In_____ — das Land — VERB _____en — die _____ung

② Wortfamilie "ordnen"

die _____ung — ordnen — ADJEKTIV _____entlich

die _____ungsliebe — die _____lichkeit

③ Wortfamilie "offen"/"öffen-"/"öffn-"

VERB _____en — die _____ung

die _____heit — offen — ADJEKTIV _____tlich — VERB ver_____tlichen

ADJEKTIV _____bar — die _____tlichkeit — die Ver_____tlichung

VERB _____baren — die _____barung

④ Wortfamilie "Herz"

VERB be_____igen — das Herz — ADJEKTIV _____lich — die _____lichkeit

ADJEKTIV be_____t — offen_____ig

(5) Wortfamilie "Wert"

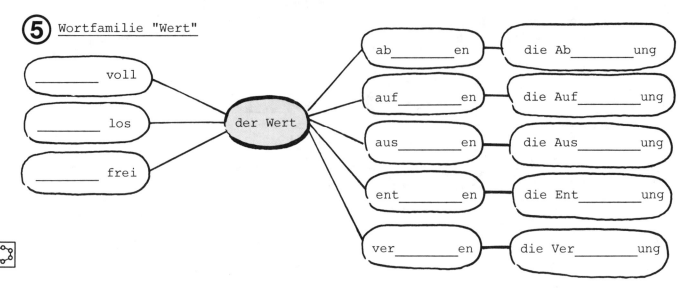

Ü 8 **Bilden Sie mit Wörtern dieser Wortfamilien Sätze**

Beispiel: **(1)** Das Flugzeug ist pünktlich <u>gelandet</u>.

Ü 9 **Ergänzen Sie bei (a) die Adjektive, bei (b) die Substantive (→ 16 B).**
(Benutzen Sie ein Lexikon) ⊙━━

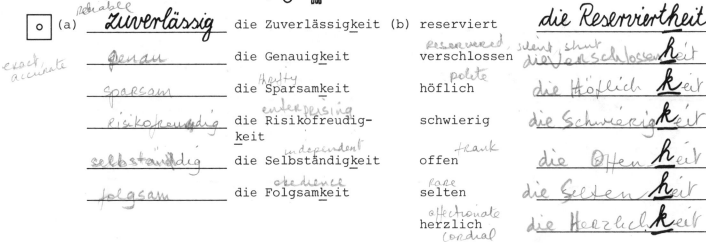

(a) <u>*zuverlässig*</u> (reliable) die Zuverlässigkeit (b) reserviert <u>*die Reserviertheit*</u>

<u>*genau*</u> (exact, accurate) die Genauigkeit verschlossen (reserved, silent, shut) *die Verschlossen**heit***

<u>*sparsam*</u> (thrifty) die Sparsamkeit höflich (polite) *die Höflich**keit***

<u>*risikofreudig*</u> (enterprising) die Risikofreudigkeit schwierig *die Schwierig**keit***

<u>*selbständig*</u> (independent) die Selbständigkeit offen (frank) *die Offen**heit***

<u>*folgsam*</u> (obedience) die Folgsamkeit selten (rare) *die Selten**heit***

herzlich (affectionate, cordial) *die Herzlich**keit***

Ü 10 **Bilden Sie mit diesen Wörtern Sätze**

Beispiel: Sie tut, was sie verspricht: Sie ist sehr <u>zuverlässig</u>.

Das Duzen wird immer beliebter

---

e **Ü 11** **In welchen Zeilen des Textes stehen die folgenden Informationen?** ⊙━━

Zeilen (x-y)

1. Ein Wissenschaftler hat festgestellt: Für Studenten ist das "Du" ein Zeichen der Solidarität.

2. Lehrer, die sich in der Schule "duzen" lassen, sind von den Schulämtern kritisiert worden.

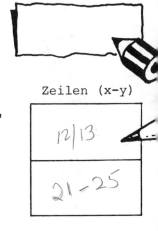

12/13

21-25

3. Immer mehr Menschen sagen statt "Sie" "Du" zueinander.

4. Durch das "Du" bekommen vor allem jüngere Menschen besser und schneller Kontakt zueinander.

5. Am Arbeitsplatz und in der Schule sagen die Menschen immer häufiger "Du" zueinander.

| 4/6 |
| 27/31 |
| alle Zeilen |

Ü 12 **Ergänzen Sie passende Adjektive (aus der Tabelle in Ü 13)** ⊙━🗝

6

1. Der Zug kam zehn Minuten später; er war *unpünktlich* .

2. Nicht nur die Deutschen arbeiten viel, auch andere Menschen tun das; sie alle sind sehr *fleißig* .

3. Peter hat große Schmerzen, aber er sagt nichts; er ist sehr *mutig / tapfer*

4. Du hast wohl auch keine neuen Ideen mehr! Du bist richtig *schwerfällig*

5. Wenn es für eine gute Sache ist, spende ich gerne; da bin ich wirklich nicht *kleinlich* .

6. Vorsicht! Politiker sagen auch nicht immer die Wahrheit; sie sind manchmal nicht *aufrichtig / ehrlich* .

7. Das gibt es in vielen Ländern, daß die Einheimischen den Ausländern gegenüber nicht freundlich sind - im Gegenteil: Viele Menschen sind *intolerant wa&hjertzig kalt ausländerfeindlich* hostile _____ .

8. Ausländer bekommen oft nur schwer Kontakt zu Deutschen; deshalb glauben sie, daß die Deutschen *intolerant kalt* sind.

9. Die Bundesrepublik ist ein *kultiviert demokratischer* Staat.

10. Man sagt, Franzosen sind *schwerfällig beweglich* : Sie können schnell auf eine neue Situation reagieren.

11. *demand* Du verlangst nicht **mehr** Geld für deine Arbeit?! Du bist aber *bescheiden (großzügig)*

12. Hier darf jeder seine eigene Meinung sagen; wir sind doch *tolerant* !

13. Wenn Monika gesagt hat, daß sie dir hilft, dann hilft sie dir auch; sie ist sehr *zuverlässig* .

14. Du verstehst aber auch keinen Spaß! Du bist richtig *humorlos* !

15. Komm, vergiß den Streit, sei *friedlich* ! Ich bin's auch.

 Ü 13 Machen Sie eine Umfrage in Ihrem Kurs:

„Was meinen Sie: Wie sind die Deutschen? Wie sind Ihre Landsleute?"

+	sehr	ziemlich	weder-noch	ziemlich	sehr	−
pünktlich						unpünktlich
beweglich						schwerfällig
fleißig						faul
bescheiden						anmaßend
tapfer, mutig						feige, ängstlich
tolerant						intolerant
phantasievoll						phantasielos
zuverlässig						unberechenbar
großzügig						kleinlich
geistreich						humorlos
aufrichtig						falsch
friedlich						streitsüchtig
ausländerfreundlich						ausländerfeindlich
warmherzig						kalt
demokratisch						undemokratisch
.....						.....
Punktwerte:	**1**	**2**	**3**	**4**	**5**	

Handschriftliche Notizen: quick (beweglich), modest/brave (bescheiden), reliable/generous (zuverlässig/großzügig), arrogant/cowardly (anmaßend), unpredict (unberechenbar), petty (kleinlich)

a) Vergleichen Sie Ihre Tabelle mit der Tabelle Ihrer Nachbarin/Ihres Nachbarn: Sprechen Sie mit ihr/ihm über Gemeinsamkeiten und Unterschiede.

b) Ermitteln Sie die "durchschnittliche" Meinung der Kursteilnehmer.

(Tip: Punktwerte addieren und durch die Anzahl der Kursteilnehmer dividieren)

c) Schreiben Sie einen kurzen Text zu den folgenden Fragen:

1. Wie ist Ihre Meinung über die Deutschen entstanden?

(Wann und wo oder von wem haben sie was über Deutschland und die Deutschen gehört, gesehen oder gelesen?)

2. Was ist Ihre Meinung zu Stereotypen wie z. B. "Die/Alle Deutschen sind fleißig"?

3. Was sind die Vorteile, vor allem aber auch die Gefahren solcher Stereotypen?

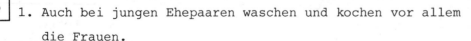

Forscher: Waschen und Kochen immer noch Frauensache

7 **Ü 14** Steht das im Text? Bitte „ja" oder „nein" ankreuzen und die Zeilen angeben

1. Auch bei jungen Ehepaaren waschen und kochen vor allem die Frauen.

2. Das ist das Ergebnis einer Forschungsarbeit, die die Universität Oldenburg veröffentlicht hat.

ja	nein	Zeilen
X		1-3

3. Interviewt wurden Ehepaare, die im Zeitraum zwischen 1950 und 1980 geheiratet hatten.

4. Im Jahr 1980 haben in 92% aller Ehen allein die Frauen gewaschen.

5. Viel mehr Frauen als Männer haben Staub gewischt, gekocht und das Frühstück gemacht.

6. Männer hatten vor allem die folgenden Aufgaben: Autowaschen, Reparaturen in der Wohnung, Mülleimer leeren.

7. Die Kinder wurden von Vater und Mutter gleichzeitig zu Bett gebracht.

8. Die Forscher stellten fest, daß bei jungen Ehepaaren die Männer nach der Geburt des ersten Kindes das Haus verlassen.

W _____ 14 A

Ü1 Ordnen Sie die Adjektive: Welche drücken einen Gegensatz aus?

langsam alt schön jung leicht dick positiv ~~groß~~ lustig klein viel häßlich hoch lieb klug schlecht warm ernst neu gut kalt langweilig sauber kurz dumm schnell schwer selten dünn negativ progressiv böse lang einfach konservativ tief interessant schmutzig wenig gebraucht fleißig fest schwach arm lose verschlossen häufig stark faul reich offen

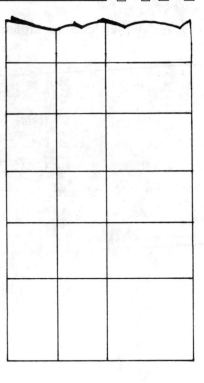

Gegensatz - Paare

groß   —   klein

93

Ü2 Vergleichssätze: Ergänzen Sie bitte

VOLKER ERHARDT

Links ist linker als rechts	Rechts ist etwas weniger links als links
Oben ist höher als unten	Unten ist nicht so hoch wie oben
Vorn ist weiter vorn *als* hinten	Hinten ist fast so weit vorn *wie* vorn
Groß ist *größer* *als* klein	Klein ist nicht ganz so *groß* wie groß
Lang ist *länger* *als* kurz	Kurz ist weniger lang *als* lang
Schnell ist *schneller als* langsam	Langsam ist nicht so *schnell* wie schnell
Stark ist *stärker* *als* schwach	Schwach ist fast so *stark* wie stark
Schön ist *schöner* *als* häßlich	Häßlich ist weniger schön *als* schön
Sicher ist *sicher* *als* unsicher	Unsicher ist nicht so *sicher wie* sicher
Klug ist *klüger* *als* dumm	Dumm ist fast so *klug wie* klug
Ehrlich ist *ehrlicher als* unehrlich	Unehrlich ist weniger ehrlich *als* ehrlich
Reich ist *reicher* *als* arm	Arm ist nicht so *Reich wie* reich
Gut ist *besser* *als* schlecht	Schlecht ist fast so *gut wie* gut.

(handschriftliche Notizen: *less* über "weniger"; *almost* über "fast"; *true* über "sicher"; *safe* neben "Sicher"; *honesty* neben "Ehrlich")

Ü3 Wie verstehen Sie diese Vergleiche?

Ü4 Machen Sie einen ähnlichen Text wie Volker Ehrhardt. Benutzen Sie dabei Adjektive aus Ü1 (S. 93)

Alt ist älter als jung.
Jung ist weniger alt als alt.

Ü1 Vergleichen Sie bitte

Beispiel: Mainz–Köln–Hamburg: groß
a) Mainz ist (ziemlich) groß; Köln ist größer: Hamburg ist noch größer; Hamburg ist am größten (von den dreien).
b) Mainz ist nicht so groß wie Köln; aber Hamburg ist größer als Köln.

(handschriftliche Notiz: *still, yet* über "noch")

Aufgabe: 1. Berlin – London – Paris: schön. 2. Die Bundesrepublik – die DDR – die Schweiz: klein. 3. Der VW – der Ford – der Mercedes: teuer. 4. Das Auto – der Zug – das Flugzeug: schnell. 5. Das Buch – das Fernsehspiel – der Kinofilm: langweilig. 6. Peter – Fritz – René: nett. 7. meine Schwester – mein Bruder – ich: jung. 8. mein Vater – meine Mutter – meine Tante: alt. 9. Osterferien – Weihnachtsferien – Herbstferien: kurz. 10. Milch trinken – Tee trinken – Kaffee trinken: gern. 11. die Deutschen – die Schweizer – die Japaner: viel arbeiten.

(handschriftliche Notizen: *die* über "Herbstferien"; *Ich trinke gern Kaffee / Ich trinke* unten)

Ü 2 Vergleichen Sie bitte die beiden Gebrauchtwagen

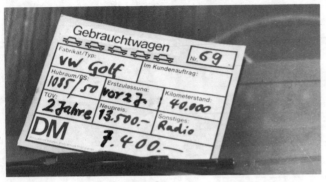 

Ü 3 Vergleichen Sie bitte

14B

3 **Ü4** Ergänzen Sie bitte die Verben und die Reflexivpronomen 🔑

1. Was willst du denn nun? Einen Pullover oder einen Pullunder? *Entscheide* *dich* bitte!

2. Vielen Dank für das Buch; ich habe _____ sehr darüber _____

3. "Die Deutschen arbeiten nicht, sie _____ _____."

4. Jim hat _____ mit Maria um zwölf Uhr am Bahnhof _____.

5. Worüber habt ihr _____ denn _____? - Über den tollen neuen Fil[m]

6. Entschuldigung, du hast recht, ich habe _____ _____.

7. "Die Deutschen essen nicht, sie _____ _____."

8. Mit diesem Problem haben wir _____ lange _____; jetzt haben wir endlich eine Lösung gefunden.

9. Was hast du denn? Warum bist du so sauer? - Ach, ich habe _____ heute fürchterlich über meinen Chef _____.

10. Mensch, Paul! Erkennst du mich denn nicht? - Tut mir leid, ich kann _____ wirklich nicht an Sie _____.

11. _____ ihr _____ auch für moderne Literatur?

12. Willst du _____ nicht _____? - Nein, danke, ich stehe lieber.

> sich ärgern (über) - sich beschäftigen (mit) - sich entscheiden - sich
> erinnern (an) - sich ernähren - sich freuen (über) - sich interessieren (für) -
> sich irren - sich plagen - sich setzen - sich unterhalten (über) - sich
> verabreden (mit)

4 **Ü5** Ergänzen Sie bitte 🔑

1. Der Vater *läßt* den Sohn auf dem Esel *reiten*. 2. _____ du mich bitte mal auf deinem Rad _____? 3. Wir _____ uns nicht nervös _____. 4. _____ den Motor nicht so lange _____! 5. Wir _____ die Kartoffeln 15 Minuten lang _____. 6. _____ ihr eure Kinder schon alleine nach London _____? 7. Meine Eltern _____ mich nicht alleine in Urlaub _____. 8. Jetzt hör mir bitte zu und _____ mich erst mal _____!

machen - laufen - fahren - kochen - reiten - lassen - ausreden - fahren - fliegen

96

Ü1 Lesen Sie den „Zettel", hören Sie den Dialog und beantworten Sie die folgenden Fragen

1. Was erfährt man über Brillanten-Ede?

2. Warum will Frau von Kopra die Gäste nicht ausladen?

3. Wie viele Gäste werden ungefähr erwartet, und wer hat sie eingeladen?

4. Was erfährt man über den Inspektor?

5. Was wollen Herr und Frau von Kopra machen?

6. "Ob wir den wohl erkennen?" - Was glaubt Herr von Kopra?

Ü2 Hören Sie die Party-Gespräche

a) Zu welchen Gesprächen gehören die folgenden Inhaltsangaben Ⓐ–Ⓔ?

A	*Personen sprechen über das Haus von Familie Kopra - und über private Dinge.*

B	*Personen sprechen über Urlaub in verschiedenen "Ländern".*

C	*Personen sprechen über das Haus von Familie Kopra; sie sind nicht derselben Meinung.*

D	*In einem Gespräch geht es um Getränke.*

E	*Jemand glaubt, daß er/sie Brillanten-Ede bereits entdeckt hat.*

Gespräch 1,2,3,4,5	Inhaltsangabe Ⓐ Ⓑ Ⓒ Ⓓ Ⓔ	Personengruppe ①,②,③,④,⑤?
1,		

b) Versuchen Sie, einige Gespräche *wörtlich* mitzuschreiben.

O *Also, nie wieder...*
· ...

sich eignen = to be appropriate, apt
sich einigen = to agree

2 **Ü3** **Sind die folgenden Aussagen richtig oder falsch?**
Hören Sie den Text von der Cassette und kreuzen Sie an

	r	f

1. Die Musiker sind um halb elf gegangen.

2. Der Inspektor ist zusammen mit den Musikern nach Hause gegangen.

3. Frau von Kopra glaubt, daß Brillanten-Ede nicht auf der Party gewesen ist.

4. Herrn von Kopra gefallen Sakkos mit Fischgrätenmuster und gestreifte Krawatten.

5. Herr Von Kopra fand den Herrn mit dem schwarzen lockigen Haar sympathisch.

6. Frau von Kopra hält ihren Mann für zu naiv.

7. Herr und Frau von Kopra suchen nach der Perlenkette.

Ü4 **Am nächsten Tag trifft Frau von Braunfels ihre Freundin in der Stadt.**
Frau von Braunfels hat gerade mit Frau von Kopra telefoniert.
Wie geht das Gespräch weiter? Schreiben Sie bitte:

o Hast du schon gehört??!!

● Was?

o Was gestern abend auf der Party bei von Kopras passiert ist!

● Nein, was denn?? Erzähl' schon!!!

o .....

Zettel   Brillanten   Party   Perlenkette   Schlafzimmer
Einbrecher   ...   -Ede   Inspektor   Brilliantringe
Schlafzimmer   ...

die Gebärde (n) = sign language
↳ sign

4 **Ü5** **Was könnten die Gesten der Leute auf den Bildern bedeuten?**
Schreiben Sie Ihre Vermutungen auf und sprechen Sie darüber in der Klasse

①

②
Das kommt nicht in die Tüte
einig sein = to agree
übereinstimmen

③

④

warnend — drohend den Zeigefinger erheben

die Faust ballen

beruhigen = to

abwehren = to

⑤

⑥

⑦

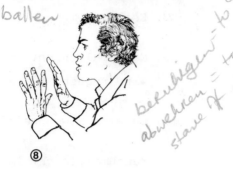
⑧

Die Frau stützt den Kopf auf die Hand.
Das könnte bedeuten:

denken
nachdenken

Ü 6 Wie steht das im Text? 🗝
Ordnen Sie die „Fachbegriffe" aus dem Text zu ⟶ Reisewetter

5

1. Die Bewölkung wird rasch wechseln: Es wird manchmal viele Wolken geben, dann wieder weniger, dann
wieder mehr usw.

2. Es wird Schauer geben: Es wird kurz regnen, dann
wird es aufhören, dann wird es wieder regnen usw.

3. Ein Regengebiet wird durchziehen: Wolken, die Regen bringen, werden kommen; es wird eine Zeitlang
regnen; die Wolken werden weiterziehen; der Regen wird aufhören.

4. An einigen Orten wird es Gewitter geben: Es wird
blitzen, donnern und regnen.

5. Der Wind wird aus Südwest kommen; er wird mäßig
(nicht sehr stark) und böig sein (er wird manchmal stärker, dann wieder schwächer, dann wieder
stärker usw).

6. Die Bewölkung wird unterschiedlich sein; und sie
wird sich immer wieder ändern.

7. Es wird Niederschläge geben, (z. B. Regen) die
wie Schauer (siehe 2.) sind.

1) Rasch wechselnde
Bewölkung

8. Es wird viele dicke Wolken geben.

_____

9. Manchmal (nicht immer) wird es regnen; oder es
wird regnen, blitzen und donnern.

_____

10. Es wird abwechselnd Sonne und Wolken geben.

_____

11. Manchmal (nicht immer) wird es Wolken geben.

_____

12. Sonnenschein und Regen werden wechseln; meistens
aber wird es viele dicke Wolken geben.

_____

13. Die Sonne wird längere Zeit (ziemlich lange)
scheinen, nachdem die Wolken weg sind und bevor sie wiederkommen.

_____

14. Die Sonne wird die meiste Zeit scheinen.

_____

15. Es wird Schauer (Satz 2.) geben, oder es wird Gewitter (Satz 4.) geben.

_____

16. Später wird die Sonne immer mehr scheinen.

_____

5 **Ü7** **Hören Sie den Reisewetterbericht (zum _Lehrbuch_, Ü13) und bearbeiten Sie die folgenden Aufgaben**

a) Lesen Sie zunächst diese Worterklärungen:

ein Atlantisches Tief/druck/gebiet: ein Gebiet mit tiefem (niedrigem) Luft/druck
(z. B. 970 Millibar = 970 Hektopascal), das über dem Atlantik (Atlantischen
Ozean) entstanden ist

Durchzug eines Atlantischen Tiefdruckgebiets
⎿→ durch/ziehen: Ein Atlantisches Tiefdruckgebiet zieht von Westen durch
Europa nach Osten.

"für die Jahreszeit zu kühl": Das heißt, wenn man die Temperaturen mit den Temperaturen vergleicht, die für diese Jahreszeit normal sind, muß man sagen: Die
Temperaturen sind niedriger als normal, es ist "zu kühl".

"Es ist bedeckt": Das heißt, der ganze Himmel ist grau, er ist mit Wolken "bedeckt"
(vgl. die Decke, bedecken).

"Es ist regnerisch": Das heißt, es regnet viel (vgl. der Regen).

die Tages/temperatur: die Temperatur am Tag (Gegenteil: die Nacht/temperatur)

"in 2000 m Höhe": in den Teilen des Landes, die 2000 Meter hoch liegen

sinkende Temperaturen: Temperaturen, die sinken (= niedriger werden)

gelegentlich: manchmal

häufig: oft

tag/s/über: am Tag (Gegenteil: nachts = in der Nacht)

anfang/s: am Anfang

die Wolken/auflocker/ung ⟶ die Wolken lockern auf: Das heißt, die Wolken werden dünner, und es gibt weniger Wolken.

die Erwärm/ung ⟶ sich erwärmen: warm werden

die Wasser/temperatur: die Temperatur des Wassers

"Es ist heiter": Das heißt, es gibt viel Sonne und nur wenige Wolken.

niederschlag/s/frei: Das heißt, das Wetter bleibt frei von Niederschlägen; es gibt keine Niederschläge.

im Verlauf des Wochenendes: während des Wochenendes

"Temperaturen ... ansteigend": Das heißt, die Temperaturen steigen an; die Temperaturen werden höher; es wird wärmer.

die Luftfeuchtig/keit ⟶ Die Luft ist feucht.
⟶ feucht: ein bißchen naß

das Hitze/gewitter: ein Gewitter, das durch die Hitze verursacht wird
⟶ die Hitze: sehr hohe Temperatur
⟶ heiß: sehr warm

"hohe Luftfeuchtigkeit mit Neigung zu Hitzegewittern": Das heißt, die Feuchtigkeit der Luft und die Temperaturen sind so hoch, daß leicht Hitzegewitter entstehen können.

b) Wie wird das Wetter in den folgenden Ländern?
Hören Sie den Reisewetterbericht und notieren Sie

1. Österreich und die Schweiz: *bedeckt,* ...

2. Östliche Landesteile Österreichs: .....

3. Südfrankreich, Oberitalien, Slowenien und Kroatien: .....

4. Mittelitalien, Albanien, Griechenland, Bulgarien und die Türkei: .....

c) Wie ist das Wetter in diesen Ländern? Zeichnen Sie die passenden Wettersymbole in die Karte ein:

   20°

In Österreich und in der Schweiz wird es bedeckt und regnerisch sein ..

d) Geben Sie die Informationen des Reisewetterberichts mündlich oder schriftlich wieder

101

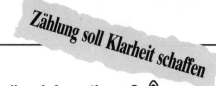
Zählung soll Klarheit schaffen

6 **Ü8** **Lesen Sie folgende Wiedergabe des Textes.
In welchen Zeilen des Originaltextes stehen dieselben Informationen?**

1. Im Jahr 2030 werden in der Bundesrepublik vierzehn Millionen Menschen weniger als heute leben.

2. Das steht in dem neuesten Bericht der Bundesregierung.

3. Bis zum Jahr 2000 wird die deutsche Bevölkerung von 56,6 Millionen auf 54,8 Millionen zurückgehen, danach bis zum Jahr 2030 sogar auf 42,6 Millionen.

4. Experten glauben, daß bereits 1987 ungefähr eine Million Menschen weniger in der Bundesrepublik leben.

5. Die Volkszählung 1987 könnte diese Vermutung bestätigen.

6. Man glaubt, daß die Zahl der Ausländer wächst: Sie dürfte von 4,4 Millionen im Jahr 1985 auf 5,6 Millionen (Jahr 2000) und weiter auf 5,8 Millionen (Jahr 2030) steigen.

7. Wenn man die deutsche und die ausländische Bevölkerung addiert, werden im Jahr 2000 fast ebenso viele Menschen in der Bundesrepublik leben wie 1987.

8. Im Jahr 2030 jedoch dürften nur noch insgesamt 48,32 Millionen Menschen in der Bundesrepublik leben.

1-4

Ü9 **Wortfamilien und Komposita: Ergänzen Sie die Wörter. (Benutzen Sie ein Lexikon)**

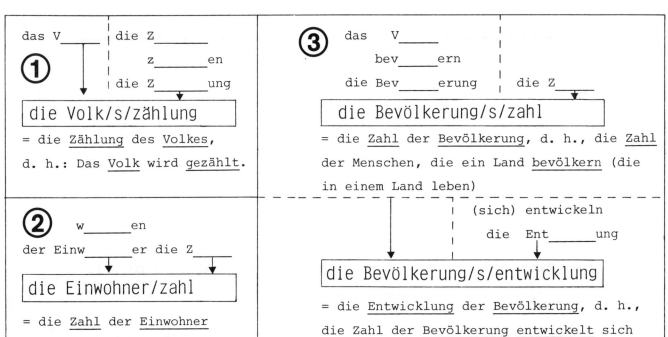

①
das V____ | die Z____
| z____en
| die Z____ung

die Volk/s/zählung

= die Zählung des Volkes,
d. h.: Das Volk wird gezählt.

②
w____en
der Einw____er die Z____

die Einwohner/zahl

= die Zahl der Einwohner
(eines Landes/einer Stadt)

③
das V____
bev____ern
die Bev____erung | die Z____

die Bevölkerung/s/zahl

= die Zahl der Bevölkerung, d. h., die Zahl
der Menschen, die ein Land bevölkern (die
in einem Land leben)

(sich) entwickeln
die Ent____ung

die Bevölkerung/s/entwicklung

= die Entwicklung der Bevölkerung, d. h.,
die Zahl der Bevölkerung entwickelt sich
(sie wird größer oder kleiner)

Ü1 Formulieren Sie Prognosen und/oder Vermutungen, die in diesen Bildern enthalten sind

1/3 **Ü1** Formulieren Sie │Vermutungen│ (mit dem Futur I) als Antwort auf die folgenden Fragen

Fragen:

1. Warum machen Menschen wohl Body-Building?

2. Warum wird das Duzen wohl immer beliebter?

3. Warum ist Waschen und Kochen wohl immer noch Frauensache?

4. Warum geht die Bevölkerungszahl in der Bundesrepublik wohl zurück?

Antworten:

a) Sie wollen wohl schön sein.
b) Sie wollen wohl bewundert werden.
c) Es macht ihnen wohl Spaß.
d) .....

a) Junge Menschen bekommen so wohl leichter Kontakt.
b) .....

a) Viele Menschen finden das wohl auch heute noch normal.
b) .....

a) .....
b) .....

1a) Sie werden schön sein wollen.
b)

Ü2 Formulieren Sie │Vermutungen│ (mit dem Futur II) ⌐○—⌐

a) Was war denn bloß mit Willi los?   *what on earth was wrong with willi*
merely

1. Er hat wohl einen alten Freund getroffen. 2. Er hat seinen Freund wohl zum Essen eingeladen. 3. Willi und sein Freund haben wohl über die alten Zeiten gesprochen. 4. Dabei haben sie wohl ein Glas zuviel getrunken. 5. Willi hat wohl die Tonne vor der Garage nicht gesehen. 6. Er hat vor der Garage wohl zu spät gebremst. 7. Er hat wohl seinen Hausschlüssel nicht gefunden. 8. Er hat seinen Hausschlüssel wohl verloren. 9. Deshalb hat er wohl geklingelt. 10. Willis Frau ist wohl "sauer" gewesen.

1) Er wird einen alten Freund getroffen haben.
2)

b) Einbrecher kam während der Party: Wie konnte das nur passieren?

1. Der Einbrecher hat wohl gewußt, daß an diesem Abend eine Party stattfand.
2. Er hat das Haus und seine Bewohner wohl schon lange Zeit vorher beobachtet.
3. Er hat wohl einen Helfer gehabt. 4. Der Helfer hat wohl die ganze Zeit die Party im Erdgeschoß beobachtet, während der Einbrecher über die Mauer gestiegen ist. 5. Bei der Party ist die Musik wohl ziemlich laut gewesen. 6. Deshalb hat wohl niemand etwas von dem Einbruch bemerkt.

1. Der Einbrecher wird ...

Ü3 Formulieren Sie (mit dem Futur I) ein festes [Versprechen] oder eine feste [Absicht] 𝒪—ᴛ

promise *firm intention*

Ich werde

1. Ich/Wir helfe(n) dir/euch. 2. Ich lese das Buch bis morgen. 3. Ich/Wir leihe(n) dir/euch mein Fahrrad/unser Auto. 4. Ich/Wir schreibe(n) dir/euch einen Brief. 5. Ich rufe dich morgen an. 6. Ich liebe dich immer. 7. Ich/Wir hole(n) dich/euch vom Bahnhof ab. 8. Ich bringe Sie zum Flughafen. 9. Wir reservieren Ihnen ein Hotelzimmer. 10. Ich nehme an der Konferenz nicht teil.

1. Ich werde dir helfen. / Wir werden euch helfen.
2. ...

Ü4 Formulieren Sie (mit dem Futur I) [Befehle] 𝒪—ᴛ *order*

a) 1. Sie fliegen morgen nach München. 2. Sie fahren zur Firma Meinke. 3. Sie verhandeln mit Herrn Meinke persönlich. 4. Sie kommen noch heute abend zurück. 5. Sie informieren mich sofort über das Ergebnis der Verhandlungen. 6. Am Wochenende fliegen Sie dann nach Berlin.

b) 1. Du tust jetzt, was ich sage. 2. Du bist jetzt still. 3. Ihr kommt jetzt mit. 4. Du machst sofort den Fernsehapparat aus. 5. Ihr stellt sofort das Radio leise. *low/silent* 6. Du sagst jetzt sofort die Wahrheit. 7. Ihr hört mir jetzt aufmerksam zu.

1, Sie werden morgen nach München fliegen. 2, ...

1) Du wirst jetzt tun, was ich sage. 2) ...

Ü5 Wie wird das im Jahr 2000/2030 sein? Formulieren Sie [Prognosen] → *Lehrbuch, 15A6, Ü9* ∘—∘

a)

Deutsche in der Bundesrepublik

Heute: 56,6 Mio.
2000: 54,8 Mio.
2030: 42,6 Mio.

Heute: 61 Mio.

2030: 5,8 Mio.

2030: 48,32 Mio.

Heute: 4,4 Mio.
2000: 5,6 Mio.

Ausländer in der Bundesrepublik

Die Gesamtbevölkerung wird...

b)

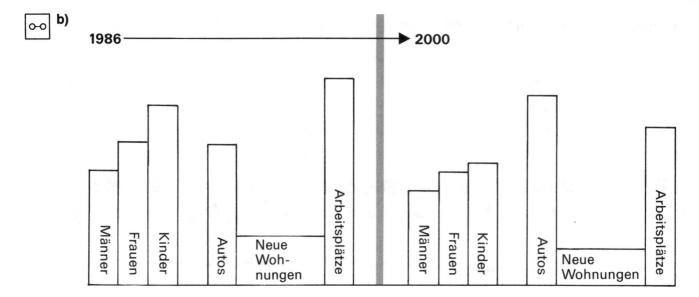

Im Jahr 2000 wird es weniger Männer geben ...

Ü 6 **Drücken Sie Vermutungen aus (mit dem Konjunktiv II von Modalverben)**

sicher

1. Das ist Lehmann.
2. Der Inspektor ist um 7 Uhr hier.
3. Maria hat die Prüfung bestanden.
4. Das stimmt!
5. Du hast recht.
6. Im Süden von Marokko ist es wärmer als hier.

7. Wir haben noch Zeit für eine Tasse Kaffee.
8. Das Wetter wird besser.
9. Deine Uhr liegt auf dem Schreibtisch.
10. Der Zug fährt (schon) um 6 Uhr.
11. 700 Mark für die Miete: Das reicht.
12. Dieses Wort ist bekannt.

fast sicher	etwas unsicher	unsicher
1. Das müßte Lehmann sein.	1. Das dürfte Lehmann sein.	1. Das könnte Lehmann sein.
2. ...	2. ...	2. ...

Ü1 Lesen – Hören – Verstehen – Notieren

a) Lesen Sie zuerst die folgenden Namen und Tennis-Fachbegriffe

Namen:

<u>Boris Becker</u>: deutscher Tennisspieler; gewann bereits
    mit 17 Jahren das Tennisturnier in Wimbledon

<u>Tracy Austin</u>: amerikanische Tennisspielerin; hatte im
    Alter zwischen 17 und 19 Jahren ihre größten
    Erfolge

<u>Hilton Head</u>: Name eines großen Tennnisturniers in den
    USA

<u>US Open</u>: größtes Tennisturnier in den USA

<u>Martina Navratilova</u>: amerikanische Tennisspielerin
    (geboren in der Tschechoslowakei);
    zwischen 1979 und 1987 die beste Tennisspielerin
    der Welt

Fachbegriffe:

das Damen-<u>Endspiel</u>: das <u>Finale</u> des Damen-Tennistur-
    niers in Key Biscayne (Florida)

der <u>Punkt</u>: (hier) der Punkt (die Punkte), die man
    beim Tennisspielen gewinnen kann: Wenn die eine
    Spielerin einen "Fehler" macht (den Ball nicht
    in das Feld ihrer Gegnerin zurückschlagen kann),
    bekommt die andere Spielerin einen "Punkt" (Punkte).

<u>"er (der erste Punkt) ging an Steffi Graf"</u>: Das heißt,
    Steffi Graf hat den ersten Punkt gewonnen.

die <u>Begegnung</u>: (hier) das Match, das Tennisspiel
    zweier Spieler(innen) gegeneinander

<u>einen Sieg erringen</u>: siegen; gewinnen

<u>"jemanden in einem Atemzug nennen mit jemandem"</u>:
    jemanden <u>gleichzeitig</u> mit einem anderen nennen

<u>"0:30"</u>: (hier) der momentane Punktestand: Chris Evert
    hat im Moment 0 Punkte, Steffi Graf hat 30 Punkte.

<u>"da geht ein Raunen durch die Menge"</u>: das heißt, die
    <u>Menge</u> (= viele Menschen) <u>raunt</u>
→ raunen: leise (hier: mit Bewunderung) etwas sagen,
    was man aber nicht deutlich versteht (weil viele
    Menschen gleichzeitig etwas sagen)

die <u>Vorhand</u>: Bezeichnung für einen Schlag im Tennis,
    bei dem die <u>Innenfläche der Hand</u> zum Ball zeigt
    (vgl. auch *Lehrbuch* S. 118, Bild links)

die <u>Rück/hand</u>: Bezeichnung für einen Schlag im Tennis,
    bei dem der <u>Handrücken</u> zum Ball zeigt

die Rückhand

die Vorhand

der Aufschlag

die <u>Winterpause</u>: (hier) eine <u>Pause</u> im <u>Winter</u>, in der
keine Tennisturniere stattfinden

<u>'86</u>: (hier) im Jahr 1986

der <u>Satz</u>: (hier) Abschnitt eines Tennis-Matches:
Ein Satz kann mit 6:4 oder 7:5 oder 7:6 gewonnen
werden.
Das Match gewinnt diejenige, die als erste 2 Sätze
gewinnt. (Manchmal muß man, vor allem im Herren-
Tennis, drei Sätze gewinnen, um das Match zu gewinnen.)

"... hat Steffi Graf in zwei Sätzen gespielt": Das
heißt, Steffi Graf hat das Match in 2 Sätzen
2:0 gewonnen. Steffi Graf hat 2 Sätze gewonnen,
ihre Gegnerin keinen Satz; deshalb mußten auch
nicht drei Sätze gespielt werden. (Drei Sätze
müssen dann gespielt werden, wenn es nach zwei
Sätzen 1:1 steht.)

das <u>3-Satz-Match</u>: ein Match, in dem 3 Sätze gespielt
werden müssen, weil es nach 2 Sätzen 1:1 steht

der <u>Tie-break</u>: spezielle Punktwertung im Tennis.
Tie-break wird dann gespielt, wenn es am Ende
eines Satzes 6:6 steht. Jeder Fehler der einen
Spielerin bringt dann der anderen Spielerin einen
Punkt. Den Tie-break gewinnt diejenige, die zuerst 7 Punkte hat. (Vorausgesetzt, die Gegnerin
hat nicht mehr als 5 Punkte. Wenn die Gegnerin
mehr als 5 Punkte hat, wird solange weiterge-
spielt, bis die eine Spielerin 2 Punkte mehr als
die andere hat.)
Die Spielerin, die den Tie-break gewinnt, gewinnt
auch den ganzen Satz.

"<u>Ball im Aus</u>": Das heißt: Der <u>Ball</u> ist <u>außerhalb</u> des
Feldes gelandet. (Das ist ein Fehler der Spielerin,
die diesen Ball geschlagen hat.)

"<u>zwei Break/punkte</u>": Von <u>einem Breakpunkt</u> spricht man,
wenn die Spielerin, die während des Spiels <u>nicht
selbst aufschlägt</u> (vgl. "der Aufschlag"), 40:30
führt und mit dem nächsten Ballwechsel das Spiel
gewinnen kann bzw. das Aufschlagspiel ihrer Gegnerin "durchbrechen" (engl. *break*) kann.
Von <u>zwei Breakpunkten</u> spricht man, wenn es in der-
selben Situation 40:15 steht.

der <u>Aufschlag</u> ⟶ <u>aufschlagen</u>: (hier) den Ball mit
dem ersten Schlag ins Spiel bringen.

<u>aus/scheiden</u>: (hier) in einem Turnier ein Match verlie-
ren und deshalb nicht mehr weiter mitspielen können

"die <u>zwote</u> Runde" (umgangssprachlich): die <u>zweite</u> Runde:
Die zweite (Spiel-)Runde erreicht die Spielerin,
die in der ersten Runde gewonnen hat.

Beispiel: Bei 32 Spielerinnen gibt es 5 Runden, weil die Verliererinnen in jeder Run-
         de ausscheiden:

         In der 1. Runde spielen 32 Spielerinnen
              2.   16   : "Achtelfinale"
              3.   8   : "Viertelfinale"
              4.   4   : "Halbfinale"
              5.   2   : "Finale"

der Center-Court: der zentrale Tennis-Platz einer Tennisanlage

das Stadion: eine Sportanlage, in der sehr viele Zuschauer (oft bis zu 100 000) Platz
    haben.

"ein Stahlrohr-Stadion": ein Stadion, das mit Rohren aus Stahl gebaut ist

das Provisorium: etwas, das nur vorläufig, für relativ kurze Zeit aufgebaut worden
    ist

die Tennis/anlage: alle Tennisplätze und Gebäude, die man für ein Tennisturnier
    braucht

"ein Break": Das heißt, eine Spielerin durchbricht (s. o.) das Aufschlagspiel ihrer
    Gegnerin.

der Satzverlust: der Verlust eines Satzes (s. o.) ➔ einen Satz verlieren

"ein Spiel abgeben": ein Spiel innerhalb eines Satzes verlieren (Hinweis: Man muß
    mindestens 6 "Spiele" gewinnen, um einen Satz zu gewinnen, z. B. 6:0 oder 6:1
    oder 6:4.)

"dieses Wahnsinns/finale gegen Martina Navratilova": Gemeint ist hier ein sehr
    gutes Match von S. Graf gegen M. Navratilova während des Turniers, das wie ein
    Finale war (obwohl es nicht das Finale gewesen ist, denn im Finale spielt ja
    S. Graf gegen C. Evert).

"die Nummer 1": Im Tennis gibt es eine Rangliste (z. B. 1. Navratilova, 2. Evert,
    3. Graf). Im Frühjahr 1987 war M. Navratilova noch an erster Stelle der Welt-
    Rangliste, sie war "die Nummer 1".

"an 2 gesetzt sein": Bei einem Turnier werden die Plätze 1 bis 4 des Spielplans
    mit den besten Spielerinnen besetzt. Die Plätze der anderen Spielerinnen auf
    dem Spielplan werden durch das Los bestimmt. Dadurch erreicht man, daß die 4
    besten Spielerinnen frühestens im Halbfinale (s. o.) gegeneinander spielen
    müssen, wenn sie nicht schon früher (gegen eine schwächere Spielerin) aus-
    scheiden (s. o.).

der Match/ball: der Ball/wechsel, mit dem
    eine Spielerin das Match gewinnen
    kann, weil sie nur noch einen "Punkt"
    braucht

"die ersten Zehn der Welt/rang/liste: die
    Spielerinnen, die auf den Plätzen eins
    bis zehn der Weltrangliste (s. o.)
    stehen; die 10 momentan besten Spiele-
    rinnen der Welt.

"am Start sein": (hier) am Tennisturnier
    teilnehmen

"in bestechender Manier": in einer Art und
    Weise, die "besticht", die imponiert
    (die bewundert wird)

b) Hören Sie jetzt die Reportage und beantworten Sie die folgenden Fragen

1. Wer hat den ersten Punkt gewonnen?

2. Bis jetzt haben S. Graf und Ch. Evert siebenmal gegeneinander gespielt; wer hat wie oft gewonnen?

3. Was meint man in Amerika über Steffi Graf?

4. Wo und wie hat S. Graf zuletzt gegen C. Evert gewonnen?

5. Wann und warum hat Ch. Evert eine Pause gemacht?

6. *Nach* der Pause hat Ch. Evert ein Turnier *vor* Key Biscayne gespielt; mit welchem Ergebnis?

7. Was erfährt man über das Tennis-Stadion in Key Biscayne?

8. Wie lobt der Reporter Steffi Graf? (Vgl. Ü4 im *Lehrbuch*)

9. Wie hat Steffi Graf bis jetzt im Turnier von Key Biscayne gespielt?

10. Wer ist die Favoritin? Wer könnte auch die Favoritin sein?

11. "Matchball!": Wie lange hat das Match bis jetzt gedauert?

12. Was erfährt man über die Spielerinnen, die bei dem Turnier mitgespielt haben?

13. Was ist das Ergebnis des Matches zwischen Steffi Graf und Chris Evert?

14. Welches Urteil gibt der Reporter am Schluß ab?

2 Ü2 Ergänzen Sie die passenden Wörter. (Sie finden sie im *Lehrbuch*, S. 119, Text 16A2)

1. Um ein Auto <u>fahren</u> zu dürfen, braucht man eine _Fahrerlaubnis_ oder

   einen _____.

2. Ein "_____" ist ein Mensch, dessen größtes Hobby <u>Autos</u> sind.

3. Eine _____ ist eine <u>Strafe</u>, bei der man <u>Geld</u> bezahlen muß.

4. 10 Jahre _____ gefahren sein bedeutet: 10 Jahre ohne Unfall gefahren sein.

5. Ein _____ ist ein Zweirad mit <u>Motor</u>; ein _____ ist ein <u>Zweirad</u> ohne Motor.

6. _____ nennt man jemanden, der die Regeln im Straßen<u>verkehr</u> nicht beachtet hat.

7. _____ bedeutet soviel wie: während des ganzen (bisherigen) Lebens.

8. Ein Auto _____ bedeutet so viel wie: ein Auto fahren/lenken.

9. 400.000 km _____ haben bedeutet so viel wie: 400.000 km gefahren sein.

10. Gestern - heute - morgen: _____ - Gegenwart - Zukunft.

Ü 3 Suchen Sie die Fehler und korrigieren Sie bitte 🔑

3

Der folgende Text gibt den Inhalt des Originaltextes (*Lehrbuch*, S. 119) nicht immer richtig wieder.

<u>Vergleichen Sie</u> mit dem Originaltext, <u>markieren</u> Sie die Fehler und <u>korrigieren Sie</u>:

Ich habe <u>mit vielen Ausländern</u> zu tun; diese Leute haben Probleme. Sie wollen hier die deutsche Sprache erlernen oder ihre Sprachkenntnisse verbessern, weil das in ihren Heimatländern unmöglich ist.

Erstes Beispiel: Ein chinesischer Professor braucht ein neues Visum, damit er seine Untersuchungen zu Goethe abschließen kann. Der Beamte des Ausländeramtes kennt den Professor nicht, deshalb spricht er nur mit mir; plötzlich fragt er mich: „Du wollen hier arbeiten, du wollen immer hier bleiben?"

Beispiel zwei: Ein Amerikaner, der lange Deutsch gelernt hat, bis er die Sprache in jedem Fall sicher beherrschte, will in Deutschland die Probe aufs Exempel machen. Er äußert auch gelegentlich den Wunsch, Tennis zu spielen.
Wir fahren zu einem Verein. Ich erkläre dem Vorsitzenden den Wunsch des jungen Amerikaners. Der Vorsitzende und seine Frau sind begeistert; sie sprechen sofort englisch mit ihm. Der Amerikaner antwortet auf englisch: Er erklärt, daß er aus Kalifornien kommt und in Deutschland vor allem Tennis spielen möchte. "Yes, yes, I know, I understand!" antwortet der Vereinsvorsitzende.

〜〜〜 = *falsch*

Ü 4 Erzählen Sie die Zeilen 10 –17 der Geschichte 16A3 (⟶ *Lehrbuch*, S. 119) im Präteritum

Beginnen Sie so:

Der Autor ging mit einem chinesischen Hochschullehrer zum Ausländeramt. ...

Ü 5 Wortfamilien und Komposita: Ergänzen Sie bitte die Wörter 🔑

4

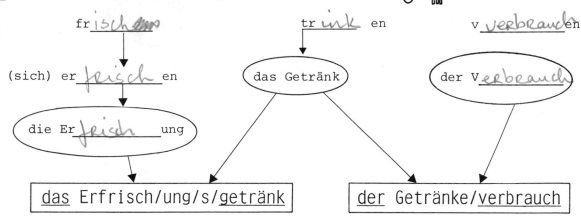

① fr i s c h _en   tr i n k en   v verbrauch en

(sich) er frisch en   das Getränk   der Verbrauch

die Er frisch ung

das Erfrisch/ung/s/getränk   der Getränke/verbrauch

Baustein = brick building

111

erwarten = to expect   *die Fugen-s joint*

②

ernährung/s/bedingt ← *caused by*

die Ern___ä___ung

(sich) ern___äh___en

die N___ahrung___ *Food*

bed___ing___t

die Bed___ing___ung

(= die Kondition)

das Nahrung/s/mittel ← das M___ittel___ *means of feeding*

das Grund/nahrung/s/mittel *(always with)*

der Grund

(= die Basis)

Ü 6   Wörter erklären: Ergänzen Sie bitte die folgenden Sätze 🔑

1. Erfrischungsgetränke sind Getränke, die man _____trinkt_____ , wenn man sich

   ____~~Ernäheten~~____ X möchte.

2. Nahrungsmittel sind "Mittel", mit denen die Menschen sich ____ernäheten____ .

3. Grundnahrungsmittel sind _____, die die Basis der _____

   _____ der Menschen sind.

4. Ernährungsbedingte Krankheiten sind Krankheiten, die durch (falsche) _____

   _____ verursacht sind.

**5   Ü 7   Richtig oder falsch? Hören Sie bitte das Interview
und kreuzen Sie an** 🔑

Frau Geisendorf sagt: *-de = circumstance*

	r	f
1.		
2.		
3.		
4.		
5.		

1. Die äußeren Lebensumstände, z. B. die Arbeitslosigkeit, sind ein Grund
   für die Schwierigkeiten in den Familien.

2. Je länger die Arbeitslosigkeit dauert, desto stärker wird der Streß in
   den Familien.

3. Der Kinderschutzbund Hildesheim (bietet) eine Kinderbetreuung an: Mütter
   müssen ihre Kinder nur vorher anmelden. *register, announce* *anbieten = offer*

   merely, alone, nothing but, only *in advance, before, previously*

4. Die Kinder werden von zwei Betreuerinnen eine Stunde lang betreut.

5. Ein weiteres Projekt ist das Sorgentelefon: Hier können Eltern anrufen, wenn sie Probleme mit ihren Kindern haben.

sorgen = to be anxious
betreuen = to care for
die Betreuung = care

die Pflege = care
nursing

6. Es gibt auch eine Gruppe von Pflege- und Adoptiveltern, die einmal im Monat zusammenkommen und ihre Erfahrungen austauschen.

exchange
happen, take place

7. Beim Kleiderbasar, der jedes Jahr einmal stattfindet, können die Eltern gebrauchte Kinderkleider kaufen und verkaufen.

8. Der Babysitter-Dienst vermietet Babysitter.

hire out

9. Alle Projekte haben das Ziel, die Familien, besonders die Mütter, zu entlasten.

aim
to unburden, ease

10. Der Kinderschutzbund Hildesheim hat im letzten Jahr 34 Familien für längere Zeit betreut.

Ü8 **Lesen Sie die beiden folgenden Texte und schreiben Sie Ihre Meinung**

Elisabeth Gonçalves (Portugal)

In der U-Bahn

Vor mir
sitzt ein Hund
und bellt. bay
Daneben beside it
sitzt ein Kind
und schreit
angstvoll ... anxiety
Die Fahrgäste, passenger
empört, to angry, rouses anger, insults
schauen den Unmenschen an, look at, man
der Hunde nicht versteht. der monster

Odette Hanna (Ägypten)

Die alten Leute gehen auf der Straße mit ihren Hunden spazieren. Ihre Töchter und Söhne haben sie allein gelassen. Es gibt keine gute Beziehung zwischen den Eltern und Kindern. Die meisten Kinder sind wie Gäste: Sie besuchen ihre Eltern nur am Wochenende oder gar nicht.

1 well, dressed refined
2 quite entirely very even

Ü9 **„Der Verkäufer und der Elch": Lesen Sie die Stichwörter und erzählen Sie die Geschichte nach**

Die Elche kommen und müssen Gasmasken kaufen.

Ein ausgezeichneter Verkäufer: "Gasmasken für Elche!"

weil   weil

"Teufels-kreis"
Circulus vitiosus

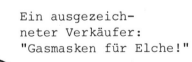

Er geht nach Norden zu den Elchen.

Gasmaskenfabrik mit Abgasen

Die Elche: "Gasmasken brauchen wir nicht. Die Luft ist gut hier!"

Ü 10 Schreiben Sie eine ähnliche Geschichte

Beispiel: "Den Fischen eine Taucheraus-
rüstung mit Sauerstoffflaschen verkaufen"

ODER

"Den Fischen eine Maschine zum Herstellen von Trinkwasser verkaufen"

Es waren einmal Fische; die lebten in einem großen See mit klarem, sauberem Wasser. Eines Tages kam der Vertreter einer großen Chemiefirma zu ihnen ...

Ü 11 Lesen – Stichwörter notieren – zusammenfassen

Der spannende Teil folgt im Labor

**a) Der Zeitungsartikel hat 6 Abschnitte.
Notieren Sie zu jedem Abschnitt ca. 3–5 „Stichwörter"**

1) Eric Anderson – Elchjagd – 30 Jahre In diesem Jahr: "Tschernobyl"!	4)
2)	5)
3)	6)

**b) Fassen Sie nun den Inhalt des Zeitungsartikels mit Hilfe
Ihrer Stichwörter zusammen**

**Ü 12 Welchen Zusammenhang sehen Sie zwischen den beiden Texten?
Diskutieren Sie in der Gruppe und schreiben Sie bitte.**

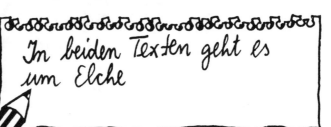

In beiden Texten geht es um Elche

Ü1 **Lesen Sie den folgenden Hinweis und beantworten Sie dann die Fragen**

1

Hinweis:

PERSON: Auf <u>wen</u>   wartest du? - Ich warte auf <u>meine Freundin.</u>

SACHE: <u>Wor</u>auf   wartest du? - Ich warte auf <u>den Bus.</u>

Fragen:

1. <u>Wovon</u> berichtet der Reporter?

2. <u>Wofür</u> interessieren Sie sich?

3. <u>Worauf</u> warten Sie?

4. <u>Auf</u> wen wartet ihr?

5. <u>Woran</u> kannst du dich nicht mehr er-innern?

6. <u>Worüber</u> habt ihr gestern gesprochen?

7. <u>Über</u> wen habt ihr gestern gesprochen?

8. <u>Worunter</u> leiden viele Mütter?

9. <u>Worauf</u> sind viele Eltern nicht vor-bereitet?

10. <u>Wozu</u> kann fettes Essen führen?

11. <u>An</u> wen kann ich mich wenden, wenn ich eine Frage habe?

12. <u>Worauf</u> willst du mich aufmerksam machen?

13. <u>Auf</u> wen möchtest du mich aufmerksam machen?

14. <u>Woraus</u> geht hervor, daß die Zahl der Bundesbürger abnehmen wird?

1, Der Reporter berichtet von ...
2) ...

3

Ü2 **Zerlegen Sie die Wörter in ihre Teile**

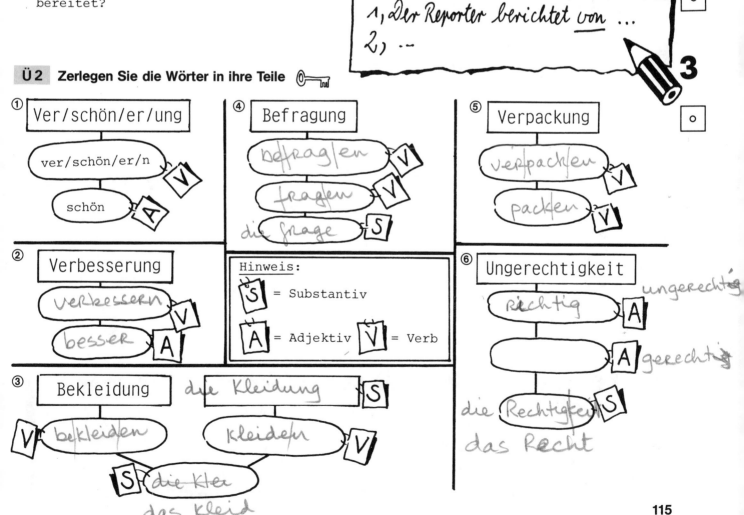

① Ver/schön/er/ung

ver/schön/er/n V

schön A

② Verbesserung

verbessern V

besser A

③ Bekleidung

V bekleiden

die Kleidung S

kleiden V

S die Klei

das Kleid

④ Befragung

befragen V

fragen V

die frage S

Hinweis:

S = Substantiv

A = Adjektiv   V = Verb

⑤ Verpackung

verpacken V

packen V

⑥ Ungerechtigkeit

richtig A   ungerechtig

A gerechtig

die Rechtigkeit S

das Recht

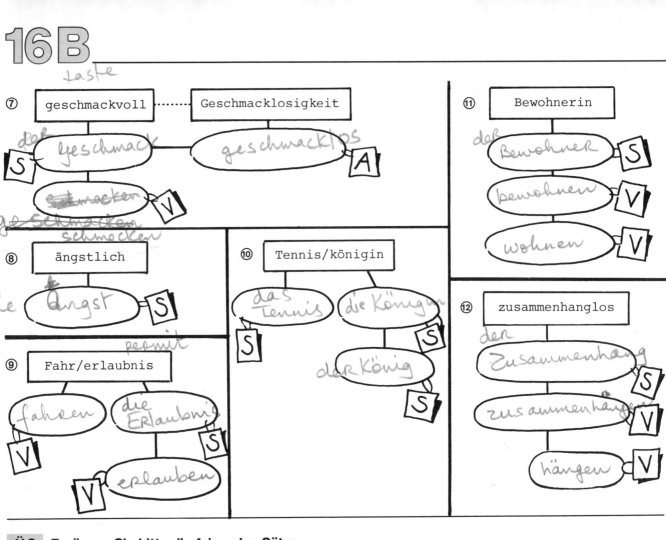

⑦ geschmackvoll ······· Geschmacklosigkeit

taste

der geschmack **S**

geschmacklos **A**

geschmacken ~~schmacken~~ **V**

geschmacken
schmecken

⑧ ängstlich

die Angst **S**

⑨ Fahr/erlaubnis *permit*

fahren **V**

die Erlaubnis **S**

V erlauben

⑩ Tennis/königin

das Tennis **S**

die König **S**

der König **S**

⑪ Bewohnerin

der Bewohner **S**

bewohnen **V**

wohnen **V**

⑫ zusammenhanglos

der Zusammenhang **S**

zusammenhängen **V**

hängen **V**

Ü 3 Ergänzen Sie bitte die folgenden Sätze
und erklären Sie dabei die unterstrichenen Wörter 🔑

1. Die Bewohnerin eines Hauses ist eine
female weibliche Person, die in .... *einem Haus* *wohnt*

2. Zusammenhanglose Teile eines Textes
sind Teile, die . *hängen nicht zusammen*
somebody

3. Wenn jemand eine Fahrerlaubnis besitzt, *possess*
darf er . ~~eine Erlaubnis~~ *fahren*

4. Eine Person wird als ängstlich bezeichnet, wenn sie . *haben Angst*
hat

5. Mit dem Wort "Bekleidung" bezeichnet
man z. B. ...... *~~das~~ ein Kleid*

6. Mit "Tenniskönigin" bezeichnet man eine
weibliche Person, die . *sehr* *Tennis spielt*

7. Geschmacklos ist jemand, der . *keinen Geschmack hat*

8. Seine Sprachkenntnisse verbessern
bedeutet so viel wie ..*...* .

9. Jemand hat gute Sprachkenntnisse,
wenn er/sie ...*Sprache kennt*

10. Mit "Bundesbürger" bezeichnet man
die Deutschen, die *in der* *Bundesrepublik leben*

11. Eine Fernsehreportage ist ·..... .

12. Landsleute sind Leute, die *in dem selben Land leben*

*Seine Person die
fernsieht und
~~über es~~ schreibt
darüber das Land*

1, Die Bewohnerin eines Hauses ist eine weibliche Person, die in
einem (diesem) Haus wohnt.

2, ...

*im Fernsehen
= on T.V.*

*der selbe
= the same*

Ü1
zu 13A3–5
Was gehört zusammen? 🔑

Wasser Kopierer Püreeflocken Kartoffeln Kopien Wasser
Kartoffeln Kontrast
Püree Milch Belichtungsregler Muskatnuß Kartoffeln
Kopiertaste

die Milch	aufkochen	*Püree*	zubereiten		einschalten
die Kartoffeln	schälen		einrühren		drücken *press*
die Kartoffeln	kochen	*Muskatnuß*	reiben *grate*	*Kartoffeln*	in Stücke schneiden
Wasser	salzen	*Wasser*	abgießen	*Wasser*	darüber gießen *Milch*
	einstellen		verschieben		machen

(handwritten above: Püree flocken)

Ü2
zu 13A6
Was ist schön / nicht schön?

3 Wochen Urlaub in Ponta Negra

+   **schön**   —   **nicht schön**

Bücher lesen, …   *16 Stunden Flugreise, …*

16 Stunden Flugreise ....
sehr viel Zeit haben ....   Bücher lesen
an nichts denken   Postkarten schreiben
viele Landsleute treffen Museen/Kirchen ansehen   faul sein
.... immer mit der Familie zusammensein ....
jeden Tag im Restaurant essen   abends tanzen gehen
keine Termine haben   Sonne   Langeweile ....
4 Kilo zunehmen   Wanderungen
alles Geld ausgeben den Namen seines Chefs vergessen
lange schlafen   Leute kennenlernen

Ü3
zu 13A7
Wie kann man auch sagen? 🔑

a) schlafen = _____
b) kleines Fest = _____
c) schnell = _____
d) an der Reihe sein = _____
e) große Eile = _____
f) es ist eilig = _____
g) Fahrt mit unbekanntem Ziel = _____
h) Behinderung = _____

i) schimpfen = _____
j) unruhig = _____
k) lange Reihe = _____
l) schreien = _____
m) schlecht = _____
n) Ruhe = _____
o) sich hinsetzen, hinlegen = _____
p) mit Armen und Beinen um sich schlagen
= _____

pennen rasch fällig sein sich niederlassen sauer flink
Party Hetze die Zeit drängt verdorben Stau brüllen
nervös Geduld zügig Fahrt ins Blaue Schlange toben fluchen

○–○ **Ü4** „Eigenschaften": Wie heißt das Gegenteil?
zu 14A5–6

lang(e)	*kurz*	interessant	
arm	*Reich*	korrekt	
schön	*häßlich*	beliebt	*unbeliebt*
genau	*un*	spontan	*ist planmäßig verlaufen* *überlegt ← u legen = to think*
gut	*schlecht, böse*	offen	
schwach	*stark*	herzlich	*herzlos* *cordial kaltherzlich*
faul	*fleißig*	kühl	
wenig		eng	*/weit, breit narrow, tight*
ernst	*lustig*	dünn	*thin dick*
dumm	*klug*	groß	
sensibel	*un gefühllos? empfend...*	kurz	
plump *clumsy*	*elegant*	tolerant	*unduldsam/intolerant*
frech *cheeky*	*brav well behaved*	langsam	*snell*
fleißig		freundlich	

vernünftig = sensible

Beschreiben Sie eine Person, die Sie gerne als Freund(in) haben möchten.

Reason

○ **Ü5** Bilden Sie Wörter aus zwei Teilen
zu 14A7–8

Frau~~(en)~~   Jahr   ~~Sache~~   Arbeit   Gang   Dienst
Ehe   Spazier   Eimer
Forschung(s)   Aufgabe(n)   Halt
Müll   Haupt   Paar
Haus   Schul   Erklärung
Grund   Steuer
Auf   Un   Verstand   Gabe   Ritt
Wander(s)   Lage
Verbraucher   Bund(es)   Republik   Mann   Last

Frauensache

Ü 6
zu 15A1

Was gehört zusammen? (→ Lehrbuch, S. 105) 🔑

refresh / refuse cancel

> absagen   erkennen   anbieten   engagieren   schließen
> einladen   sagen   tragen   holen *fetch/catch*
> hören   zeigen   führen *conduct the convo/manage*   bezahlen *pay*   ausladen

unload, cancel an invit

Musiker _engagieren_	Fischgrätenmuster	Brief _zeigen_
Leute _einladen_	_tragen_	Getränke _anbieten_
Bescheid _sagen_ *answer*	Inspektor _holen_	Gespräche _führen_ *to conduct a conversation*
Fenster _schließen_	Party _absagen_	Dieb _erkennen_
gestreifte Krawatte _tragen_	Gäste _erkennen_	Musik _hören_

Ü 7
zu 15A2

Beschreiben Sie diese drei Partygäste

schwarz   Schnurrbart   etwa 45 Jahre   Sommerkleid   Handtasche

ohne Gepäck   blond   Stoffhut *stiff strap of leather cap* / *cap*   Brille   bärtig

mysteriös   jung   freundlich   kariert   Anzug   ruhig   lockig   Weste *die*   schlank

Ledermütze   etwas dick   gestreift   Regenmantel *der*   wie ein Bauer   feste Schuhe   mittelgroß *mediumsized*   Krawatte   quergestreift   Fischgrätenmuster

geschmacklos *lacking in taste / in bad taste*   dünn angezogen *thinly clad?*   Berliner Akzent *der*

anziehen = to dress   *walking shoes*   *das Haar*

Ü 8
zu 15A5

Sortieren Sie bitte 🔑

Ortsangaben	Wetterangaben
Nord- und Ostseeküste	*Bewölkung*

> Nord- und Ostseeküste
> Bewölkung   kühl   Ostfriesland
> Wasser 20 Grad   Gewitter
> Bodensee   Schwarzwald
> in 2000 Meter Höhe
> Südwestwind   Schauer
>   Hochschwarzwald
> Südseite   Regengebiet
> 10 Grad   Niederschläge
> Spanien   Südbayern
> heiter   Türkei   Portugal
> Österreich   regnerisch
> Alpennordseite
> Aufheiterungen
> zunehmend sonnig
> wechselnd   mäßiger Wind

Ü9
zu 15A3/
16A2–5

a) Sortieren Sie: Fall 1 „Einbrecher" (15A3) – Fall 2 „Fahren ohne Führerschein" (16A2)

5 Jahre kein Führerschein ohne Bewährung Freiheitsstrafe
400.000 km zurücklegen Geldstrafen 7 Brillantringe stehlen
Einbrecher unfallfrei Geschäftsmann Motorräder 28 Jahre lang
Villa 9 Monate in Grünwald während der Party über die Mauer steigen
Verkehrssünder Autos Brillanten Autonarr unbemerkt 100.000 DM
Schlafzimmer 45jährig durch die Bundesrepublik

Fall 1: "Einbrecher"				Fall 2: "Fahren ohne Führerschein"			
Person	Handlung	Zeit/Ort	Folgen	Person	Handlung	Zeit/Ort	Folgen
		während der Party		45jährig			Freiheits-strafe

b) Rekonstruieren Sie beide Fälle mit Hilfe der Wortlisten

c) Was paßt zusammen – was paßt nicht zusammen?

einen Führerschein	machen/kaufen/erwerben/anrufen/besitzen/verlieren
400 Kilometer	zurücklegen/fahren/vergessen/entfernt sein
Probleme	haben/lösen/machen/schreien/erklären/suchen
eine Frage	stellen/setzen/geben/verstehen/haben
eine Wohnung	(ver)mieten/suchen/schicken/finden/bezeichnen/nehmen
ein Visum	wollen/erhalten/arbeiten/brauchen/vergleichen
Geld	ausgeben/verdienen/verschwinden/verlangen/stehlen
eine Sprache	lernen/vergessen/verbieten/beherrschen/erzählen
ein Spiel	verlieren/einladen/gewinnen/beginnen/bleiben
Hilfe	funktionieren/bekommen/vergessen/anbieten/bringen
Kinder	gut behandeln/diktieren/lieben/mißhandeln/kümmern
Nahrungsmittel	verzehren/kaufen/besuchen/genießen/wegwerfen

Ü10
zu 16A1

a) Wie ist Steffi Graf?
Kreuzen Sie auf den acht Skalen zwischen 0 und 4 an
(→ Lehrbuch, 16A1)

b) Zeichnen Sie so ein „Charakter-Diagramm" von sich selbst

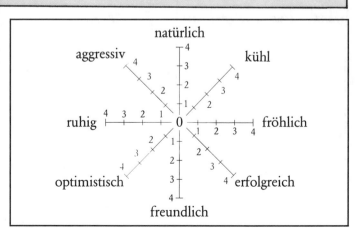

Ü 11 Was sagen (fragen) Sie?

1. Ihr Kuli schreibt nicht mehr.
   Ihr(e) Nachbar(in) hat zwei Kulis.

2. Ein(e) Kursteilnehmer(in) hat etwas gesagt; Sie haben das aber nicht verstanden.

3. Ihr(e) Freund(in) war krank (Husten, Angina, ...). Nun will er/sie wieder rauchen. Sie möchten, daß er/sie nicht mehr (so viel) raucht.
   a) Bitten Sie ihn/sie.
   b) Geben Sie ihm/ihr einen Rat.
   c) Verbieten Sie ihm/ihr das Rauchen.

4. Wie wird Kartoffelpüree ODER Tomatensuppe ODER ... gemacht? Erklären Sie bitte.

5. Sie sehen im Geschäft einen Radiowecker, der Ihnen gefällt. Der Verkäufer soll Ihnen Informationen geben.

6. Es ist Sonntag; Sie wollen mit Freunden einen Ausflug mit dem Auto (Motorrad) machen. Da hören Sie im Radio eine Verkehrsdurchsage: "Staus auf allen Straßen". Was sagen Sie zu Ihren Freunden?

7. Sie sehen in der Werkstatt zwei ältere Autos. Der Verkäufer soll Ihnen Informationen über Alter, Kilometerzahl und Preis der beiden Autos geben.

8. Sie vergleichen Ihr Land mit einem der deutschsprachigen Länder.

9. Sie vergleichen die Menschen in Ihrem Land mit den Menschen in einem der deutschsprachigen Länder.

10. Jemand fragt Sie nach Ihrem Lieblingsessen und nach Ihrem Lieblingsgetränk.

11. Sie geben eine Party: Alle Gäste sind schon da, nur Peter und Christina noch nicht. Drücken Sie Ihren Gästen gegenüber Ihre Vermutung(en) aus.

12. Sie versprechen Ihrer Freundin/Ihrem Freund, daß Sie sie/ihn jeden Tag anrufen und ihr/ihm jeden zweiten Tag einen Brief schreiben.

13. 1986 haben weniger Menschen im Ausland Deutsch gelernt als 1979.
    a) Was könnten die Gründe sein? Drücken Sie Ihre Vermutung(en) aus.
    b) Wie wird das in zehn Jahren sein? Machen Sie eine Prognose und begründen Sie diese.

14. Ihr(e) Nachbar(in) sucht seinen/ihren Hut. Sie haben eine Idee, wo der Hut sein könnte.

15. Jemand fragt Sie: "Kennen Sie Steffi Graf? Welche Meinung haben Sie von ihr?"

16. Sie sind in einem deutschsprachigen Land, um Deutsch zu lernen; aber die Leute dort sprechen mit Ihnen nur "Pidgin-Deutsch" oder Englisch.

17. Jemand sagt: "Früher, als *wir* jung waren, gab es keine Probleme zwischen Eltern und Kindern."

18. Jemand sagt in einer Diskussion: "Atomreaktoren sind nicht unsicher!"

19. Sie begegnen einem Autor von *Deutsch aktiv Neu* ODER Rocka ODER Rocko ...

☐ **A Wörter: Machen Sie ein Kreuz**

1. Sie möchten ein Foto aus der Zeitung ausschneiden.
   Dazu brauchen Sie ..... .

   - [x] a eine Schere
   - [ ] b einen Bleistift *pencil* ~~lead~~
   - [ ] c Papier
   - [ ] d Pappe *cardboard*

2. Sie wollen Kartoffeln schneiden.
   Dazu brauchen Sie ..... .

   - [ ] a eine Kartoffelpresse
   - [ ] b einen Topf
   - [x] c ein Messer
   - [ ] d Salzwasser

3. "Ich kann den Kopierer nicht einschalten!
   Können Sie mir bitte helfen?" -
   "Sie müssen auf .... hier drücken!"

   - [x] a die Anzeige *advert*
   - [ ] b die Kopie
   - [ ] c die Bedienung *operation*
   - [x] d die Taste *button*

4. Sie wollen Kartoffelpüree machen.
   Was brauchen Sie nicht dazu?

   - [ ] a Milch
   - [ ] b Butter
   - [x] c Eier
   - [ ] d Kartoffeln

5. Welches dieser vier Wörter gehört nicht zu
   den "Körperteilen"?

   - [ ] a Auge
   - [ ] b Bauch
   - [x] c Ärmel *sleeve*
   - [ ] d Fuß

6. In welchem der vier deutschsprachigen Länder gibt es neben Deutsch noch andere
   "Amtssprachen"?

   - [ ] a Bundesrepublik
   - [ ] b Liechtenstein
   - [ ] c Österreich
   - [x] d Schweiz

7. Welches dieser vier Wörter bezeichnet eine
   negative Eigenschaft? *quality, attribute*

   - [ ] a bescheiden *modest*
   - [x] b intolerant
   - [ ] c geistreich *witty*
   - [ ] d aufrichtig

8. Das Wetter: Welches dieser vier Wörter be-
   schreibt "gutes Wetter"?

   - [x] a Bewölkung *cheerful, serene*
   - [x] b Aufheiterung
   - [ ] c Niederschläge *rainfall*
   - [ ] d Gewitter *thunderstorm*

9. Sport: Welches Wort paßt nicht zu "Tennis"?

   - [x] a Schläger *racket* → *beat (hooligan)*
   - [x] b Netz
   - [x] c Rakete = *rocket*
   - [ ] d Ball

10. Essen und Trinken: Welches Wort bezeichnet
    ein "Getränk"?

    - [x] a Obst *fruits*
    - [x] b Fruchtsaft
    - [ ] c Südfrüchte *mediterranea fruit*
    - [ ] d Gemüse

B Grammatik: Machen Sie ein Kreuz

1. "..... Sie mir bitte helfen? Ich verstehe die Aufgabe nicht."

a	Würdest
b	Würde
☒ c	Würden
d	Würdet

2. Die Kartoffeln werden in kleine Scheiben ..... .

a	schneiden
☒ b	geschnitten
c	verschnitten
d	geschneidet

3. "..... doch noch ein Stück Kuchen!" – "Danke, ich habe schon zwei gegessen!"

☒ a	Nimm
b	Nehmen
c	Nimmst
d	Nimmt

4. Rocko ist ..... als Rocka.

a	stark
☒ b	stärker
c	am stärksten
d	so stark

5. Die Einwohnerzahl der Bundesrepublik wird bis zum Jahr 2030 auf ca. 48 Millionen ..... .

a	fallen werden
☒ b	gefallen sein ✓
c	fielen
d	gefallen

6. "Ich finde, du ..... mir beim Deutschlernen helfen, wenn du Zeit hast."

a	könntet
b	könntest
☒ c	konntest
d	konntet

7. "Wir haben jetzt fünf Stunden lang Deutsch gelernt. Das ..... für heute reichen!"

a	mußte
☒ b	müßte
c	müssen
d	müßten

8. In einer Fernsehreportage wurde gestern ausführlich ..... das Fußballspiel berichtet.

a	zu
b	auf
c	über
d	von

9. Welche Endung ist richtig?
   "Elche kennen keine Höflich..... ."

a	-heit
b	-keit
c	-ung
d	-ion

10. Welche Vorsilbe ist richtig?
    "Erik Andersson muß die Elchkuh im Wald .....graben."

a	er-
b	ver-
c	ent-
d	zer-

C Orthographie: Schreiben Sie bitte die Wörter

Beispiel: E(0)en und Trinken

Die Deutschen essen und (1)rinken zuviel. Jeder Bundesb(2)rger hat im vergangenen J(3)r durchschni(4)lich mehr als 500 Kilogra(5) N(6)rungsmittel verz(7)rt und (8)ber 650 Liter Flüssi(9)keit getrunken. Der grö(10)te Teil der Ernä(11)rung besteh(12) aus Ob(13), Gem(14)se, Karto(15)eln, Flei(16), (17)ucker und F(18)tt. Al(19)oholhaltige Getr(20)nke sind zurückgegangen.

0	Essen	11	
1		12	
2		13	
3		14	
4		15	
5		16	
6		17	
7		18	
8		19	
9		20	
10			

D Lesen: Ergänzen Sie bitte den Text. Unten finden Sie die passenden Wörter

Herr Paulsen wohnt mit seiner Familie in Lübeck. Er ist Verkäufer. Er hat zwei

(1)_____ ; sie sind 8 und 12 Jahre alt. Seine Frau hat früher als Sekretärin gearbeitet; jetzt ist sie zu Hause.

Herr Paulsen arbeitet für eine Firma, die (2)_____ importiert: Gemüse aus Holland, Südfrüchte aus Italien und Spanien. Während der (3)_____, von Montag bis Freitag, besucht er die Supermärkte in Lübeck und nimmt Bestellungen auf.

Herr Paulsen ist immer da, wenn man ihn braucht. Er ist sehr (4)_____, und er ist stolz darauf!

Während der Woche kommt Herr Paulsen oft erst (5)_____ am Abend heim, manchmal erst um 21 oder 22 Uhr. Frau Paulsen wäre froh, wenn ihr Mann (6)_____ arbeiten würde. Sie ist die ganze Woche zu Hause und versorgt allein den (7)_____ und die Kinder.

Frau Paulsen möchte am Wochenende gerne mit der ganzen Familie (8)_____: ins Grüne oder ins Schwimmbad, in der Sonne liegen und (9)_____ ... Das wäre auch gut für die Kinder. Aber am Wochenende ist Herr Paulsen immer ziemlich

(10)_____. Er möchte dann in aller Ruhe Zeitung lesen und fernsehen. "Am Wochenende sind die Schwimmbäder überfüllt, und auf den Straßen gibt es Staus!", sagt er. Aber einmal im Monat macht er doch mit seiner Familie eine Fahrt in die freie Natur.

schwimmen - Nahrungsmittel - Kinder - Woche - zuverlässig - weniger - spät -
Haushalt - wegfahren - müde

E Schreiben: Eine Fahrt ins Grüne

Lösungsschlüssel zu 🔑-Übungen, Wiederholungs- und Kontrollaufgaben

9A1 **Ü1** (Lösungsbeispiele)
a) Können Sie nicht lesen? - Wie bitte? - Das ist meine Einfahrt! Hier ist das Schild! - Warum sind Sie so unhöflich? - Fahren Sie sofort weg, ich muß hier raus! - Ja, ja, schon gut.
b) Entschuldigung, hier dürfen Sie nicht parken. - Wie bitte? - Das ist meine Einfahrt. Ich kann hier nicht raus. Ich warte schon eine Stunde. - Oh, Entschuldigung! Das habe ich nicht gesehen. Ich fahre sofort weg. - Vielen Dank.

9A2 **Ü4** ① a, d; ② b, c, h, i; ③ e, f, j; ④ g

Ü5 "Hallo? Wer ist da?" - "Haben Sie geklingelt?! Mitten in der Nacht?!" - "War das bei Ihnen?" - "Ja, bei uns hat es geklingelt!" - "Bei uns auch." - "Guten Morgen!" - "Aha, Burmeister mal wieder! Die arme Frau!" - "Prost!" - "Ich hole den Hausmeister." - "Gute Idee!" - "Einen Gruß an Ihre Frau!" - "Gute Nacht!" - "Der ist eingeschlafen." - "Ach was! Der hat vergessen, wo er wohnt!" - "Rufen Sie Frau Burmeister!"

Ü7 Willis Frau: "Ich versteh' das nicht: Immer kommst du so spät nach Hause. Und gestern warst du auch noch betrunken! Alle Leute im Haus ..."

Willi: "Es tut mir ja auch leid ..."

Willis Frau: "Das hast du schon oft gesagt. Und gestern bist du auch noch mit dem Auto gefahren, das ist doch gefährlich ..."

Fred: "Ja, das stimmt, das war gefährlich ..."

Willis Frau: "Dich versteh' ich überhaupt nicht, Fred! Warum bist du denn nicht gefahren?"

Fred: "Wir haben beide zuviel getrunken!"

Willis Frau: "Aha, und Willi fährt Auto, und du sitzt daneben und tust nichts. Du bist ein schlechter ..."

Fred: "Ich habe zu Willi gesagt: Wir dürfen beide nicht fahren. Tu das nicht! Die Polizei!!! Das ist gefährlich."

Willis Frau: "Und warum bist du mitgefahren?"

Fred: "Ja, was hätte ich denn ...?"

Hausmeister: "Und jetzt ist die Garage kaputt!"

Willi: "Ja, das tut mir ja auch sehr leid."

Hausmeister: "Das bezahlen Sie! Das ist teuer, das sage ich Ihnen! Und warum haben Sie so einen Krach gemacht? Gesungen haben Sie ..."

Willi: "Nein, nein, das stimmt nicht! Ich habe nicht ..."

Hausmeister: "Fragen Sie die anderen Leute! Alle haben es gehört. Und jetzt ist der Lift auch kaputt!"

Willi: "Was?! Ich bin nicht mit dem Lift gefahren! Das habe ich nicht ..."

Hausmeister: "Was sagen Sie? Sie wissen wohl gar nichts mehr! Sie sind zehn-, zwanzigmal mit dem Lift rauf und runter und wieder ..."

Willi: "Wie bitte?! Ich bin zu Fuß ..."

Willis Frau: "Nein, Willi, du bist mit dem Lift ..."

Hausmeister: "Sehen Sie! Ich habe es doch selbst ..."

Willis Frau: "Aber Fred, warum hast du nicht ein Taxi ..."

9A3 **Ü9** (Lösungsbeispiel)
o Firma Ford, guten Tag.
● Ackermann, guten Tag. Können Sie mich mit der Personalabteilung verbinden?

o Einen Moment bitte ...
□ Firma Ford, Personalabteilung, Kappus, guten Tag ...
● Ackermann! Guten Tag, Frau Kappus, ich habe eine Frage: Arbeitet bei Ihnen ein Herr Neumann?
□ Warum wollen Sie das wissen, Herr Ackermann?
● Darf ich Ihnen das einmal kurz erklären? Also: Ich bin ein Nachbar von Familie Neumann, wir wohnen auch in der Gartenstraße, und ich glaube, daß bei Neumanns etwas stimmt: Der Zeitungskasten ist nicht geleert, die Zeitungen liegen auf der Straße, aber die Garage ist offen, schon seit Tagen ...
□ Haben Sie denn schon einmal bei Neumanns geklingelt?
● Natürlich! Aber niemand meldet sich. Deshalb haben Frau Reichel - das ist auch eine Nachbarin von Familie Neumann - und ich gedacht, wir rufen einfach einmal bei Ihnen an, vielleicht wissen Sie ...
□ Also, wenn das so ist - warten Sie bitte einen Moment, ich melde mich gleich wieder ...
.....
□ Hallo, Herr Ackermann?
● Ja?
□ Herr Neumann ist heute nicht da, mehr kann ich Ihnen auch nicht sagen ...
● Ja, aber da müssen wir doch etwas tun!
□ Es kann sein, daß er auf einem Kongreß ist, aber ...
o Ich meine, daß wir die Polizei anrufen müssen!
□ Langsam, langsam, Herr Ackermann!
● Also, Sie können ja machen, was Sie wollen, ich rufe die Polizei an! Auf Wiederhören!

9AW **Ü1** (Lösungsbeispiele)
a) o Ich will nach Köln.
● Wann wollen Sie fahren?
o Morgen nachmittag.
● Sie können den Zug um 14 Uhr 47 nehmen, dann sind Sie um 15 Uhr 7 in Köln.

b) o Ich will nach München.
● Wann wollen Sie fahren?
o Morgen früh.
● Sie können um 6 Uhr 50 fahren.
o Muß ich da umsteigen?
● Ja, in Karlsruhe.

9B1 **Ü1** 1. Ich will nach Paris. - Wohin willst du? / Wohin wollen Sie?
2. Wir wollen nach Paris. - Wohin wollt ihr?
3. Willst du auch nach Honolulu? - Nein, ich will nach Bangkok.
4. Ich will nach Kenia. - Wohin willst du? / Wohin wollen Sie?
5. Morgen muß ich nach Rom. - Wohin mußt du? / Wohin müssen Sie?
6. Wir müssen nächstes Jahr nach Australien. - Wohin müßt ihr? / Wohin müssen Sie?
7. Müssen Sie auch nach New York? - Nein, ich muß nach Los Angeles.
8. Müßt ihr wirklich schon nach Hause? - Ja, leider, wir müssen.

9B3 **Ü3** (Lösungsbeispiele)
1. Ich möchte Sie zum Essen einladen. Darf ich Sie zum Essen einladen?
2. Ich möchte mit dir ins Kino gehen. Darf ich mit dir ins Kino gehen?
3. Wir möchten Ihnen ein Angebot machen. Dürfen wir Ihnen ein Angebot machen?
4. Ich möchte dich um Hilfe bitten. Darf ich dich um Hilfe bitten?

5. Ich möchte mir dein Fahrrad leihen. Darf ich mir dein Fahrrad leihen?
6. Ich möchte dir ein Taxi rufen. Darf ich dir ein Taxi rufen?
7. Wir möchten dich nach Hause bringen. Dürfen wir dich nach Hause bringen?
8. Ich möchte dir einen Rat geben. Darf ich dir einen Rat geben?

Ü5   (Lösungsbeispiele)

Die Einladung
Liebe Elke,
am Freitag, dem 14. September, wollen wir den dreißigsten Geburtstag von Peter feiern. Dazu möchten wir Dich herzlich einladen. Wir wollen um 6 Uhr beginnen.
Kannst Du mit der Bahn kommen?
Du kannst auch bei uns übernachten, wenn Du willst.
Herzliche Grüße
Deine Eva und Peter

Die Antwort:
Liebe Eva, lieber Peter,
herzlichen Dank für Eure Einladung. Am Freitag kann ich leider nicht kommen, denn ich muß zu meinem Bruder nach Hamburg; seine Frau muß heute ins Krankenhaus. Ich muß ab morgen eine Woche lang ihre Kinder versorgen.
Herzliche Grüße
Eure Elke

A4 Ü5 1. Über die Zeit von 1966 bis 1979.

2. "Ja, und zu meiner Ausbildung und beruflichen Tätigkeit kann ich Ihnen kurz etwas sagen: Von 1966 bis '69 habe ich in Berlin studiert, an der Freien Universität, und zwar Germanistik und Anglistik; und das Studium habe ich dann von '69 bis '71 in München an der Ludwig-Maximilians-Universität fortgesetzt. Dann habe ich mein Studium erst einmal unterbrochen und das nächste Jahr als Fremdenführer für das Amtliche Bayerische Reisebüro in München gearbeitet."

3.a) Von 1970 bis 1971 war er Dolmetscher für die Bayerische Staatskanzlei; er hat Staatsgäste im Auftrag der Staatskanzlei betreut.
b) Nebenher hat er für den Südwestfunk gearbeitet und kleinere kulturelle Sendungen gemacht.

4. Von '72 bis '74 hat Klaus Haase Deutsch als Fremdsprache für Gastarbeiter unterrichtet. 1977 hat er sein Studium wieder aufgenommen und das Examen gemacht. Dann, von '77 bis '79, hat er als Lektor für Verlage und Rundfunkanstalten gearbeitet; nebenher hat er eine Schauspielausbildung in Berlin und München gemacht.

Ü6 (Lösungsbeispiel)
Wolfgang Planck wurde am 29. September 1959 als Sohn von Josef Planck und Andrea Planck (geborene Silbernagel) in Düsseldorf geboren.
Von 1965 bis 1969 besuchte er die Grundschule. Von 1969 bis 1975 besuchte er das Heinrich-Heine-Gymnasium in Düsseldorf. Er schloß seine Schulbildung mit der "Mittleren Reife" ab.
Danach (von 1975 bis 1978) machte er eine Schreinerlehre bei der Firma Wilh. Schäfer & Co KG. Außerdem nahm er an einem Kurs für Technisches Zeichnen an der Volkshochschule Düsseldorf teil. Seine Schreinerlehre schloß er mit der Gesellenprüfung ab. Von März 1978 bis Oktober 1979 leistete er Zivildienst an der Universitätsklinik in Düsseldorf.
Von 1979 bis 1981 arbeitete er als Bauzeichner im Architekturbüro Raumer. Gleichzeitig besuchte er die Abendschule.
Von 1981 bis 1984 studierte er an der Ingenieurschule für Bauwesen in Münster das Fach Architektur. Das Studium schloß er mit dem Ingenieur-Examen ab.
Seit Mitte 1984 ist er als Ingenieur im Amt für Stadtentwicklung und Stadtplanung in Bochum angestellt.

10AW Ü1 starke und schwache verben

ich trete
ich trat
ich habe getreten

ich schäme mich
ich schämte mich
ich habe mich geschämt

ich weiß gründe
ich wußte gründe
ich habe gründe gewußt

ich bereue
ich bereute
ich habe bereut

ich falle auf die füße
ich fiel auf die füße
ich bin auf die füße gefallen

ich lerne dazu
ich lernte dazu
ich habe dazu gelernt

ich komme hoch
ich kam hoch
ich bin hochgekommen

ich ändere mich
ich änderte mich
ich habe mich geändert

ich pfeif drauf
ich pfiff drauf
ich habe drauf gepfiffen

ich sage jawoll
ich sagte jawoll
ich habe jawoll gesagt

ich trete
ich trat
ich werde treten

10B1 Ü1 lebte - verdiente - freute sich - meinte - antwortete - angelte - nähte zu - flirtete - klebte zu - spielte - hörte - schaute nach - lernte - eroberte - schützte - marschierte - suchte - fehlte - zeigte - besuchte - kostete - stöhnte - erzählte - suchte - dauerte - steckte - packte ein - machte kaputt - wartete - konnte - feierte - lachte - landete - baute - bestellte - ergänzte - brauchte - wohnte - machte auf - redete - holte - machte - räumte aus - schickte - hatte - sagte - übernachtete - kochte - fragte - schwitzte - gehörte - erzählte - mußte - zeigte - wollte - stellte

10B2 Ü2 1a) schrieb - hat geschrieben
stieg ein - ist eingestiegen
stieg um - ist umgestiegen
stieg aus - ist ausgestiegen
schien - hat geschienen
b) schnitt - hat geschnitten
schnitt auf - hat aufgeschnitten
unterstrich - hat unterstrichen
griff an - hat angegriffen

2a) schloß - hat geschlossen
b) verlor - hat verloren
zog an - hat angezogen

3a) trank - hat getrunken
fand - hat gefunden
sprang - ist gesprungen
sang - hat gesungen
b) begann - hat begonnen
schwamm - ist geschwommen

4a) sprach - hat gesprochen
kam - ist gekommen
kam zurück - ist zurückgekommen
warf weg - hat weggeworfen
half - hat geholfen
b) aß - hat gegessen
vergaß - hat vergessen

5a) nahm - hat genommen
nahm mit - hat mitgenommen
nahm weg - hat weggenommen
b) las - hat gelesen
sah - hat gesehen
gab - hat gegeben
lag - hat gelegen
bat - hat gebeten

6 hob - hat gehoben

7a) schlief - hat geschlafen
fing an - hat angefangen
hielt auf - hat aufgehalten
verließ - hat verlassen
b) fuhr - ist gefahren
fuhr ab - ist abgefahren
trug - hat getragen
schlug auf - hat aufgeschlagen

8 rief - hat gerufen
rief an - hat angerufen
lief - ist gelaufen
lief weg - ist weggelaufen
lief zurück - ist zurückgelaufen

war - ist gewesen
hatte - hat gehabt

Ü3 1. fallen 2. gefallen 3. bitten 4. reiten 5. laden
6. fangen 7. halten 8. schließen 9. werfen 10. schleifen 11. liegen 12. untergehen

10B2/3 Ü4 standen - fielen ... um - fiel - sagte - fragte - wollte -
hatte - wollte - erzählte - war - setzte - wollte - mel-
dete - putzte - verdiente - hatte

Ü5 standen - fragte - antwortete - sagte - ging

10B3 Ü6 hatte ... gehabt - hatte ... zugemacht (geschlossen) -
hatte ... geladen - war ... gefahren - hatte ... geworfen
- hatte ... gerufen - waren ... untergegangen - hatten ...
gehalten - war ... gekommen - hatte ... geholt und ...
gebracht - hatte ... genommen und ... gebracht - hatte ...
gestellt - hatte ... gemerkt

11A1 Ü2 1: die Brille - 2: die Taucherbrille - 3: das Gebiß -
4: das Portemonnaie - 5: der Klo(sett)deckel - 6: die
Handtasche - 7: die Schuhe - 8: die Schuhe - 9: der Fernseher - 10: der Radio-Cassettenrecorder - 11: der Schirm -
12: das Fahrrad - 13: die Skier - 14: das Schachbrett, die
Schachfiguren - 15: das Surfbrett - 16: der Papagei -
17: die Säge - 18: der Schwimmreifen - 19: die Taschenuhr -
20: die Armbanduhr - 21: der Wecker

11A2 Ü4 1: das Kleid - 2: die Hose - 3: der Mantel - 4: das Jak-
ket / der, das Sakko - 5: der Pelzmantel - 6: die Schuhe -
7: die Stiefel (PLURAL) - 8: das Unterhemd - 9: die Unter-
hose - 10: der Unterrock - 11: der Schal - 12: die Krawatte (der Schlips) - 13: der (Knie-)Strumpf / die Socke(n)
- 14: der Büstenhalter - 15: die Mütze - 16: der Hut -
17: der Pullover - 18: das Hemd

11A5 Ü9 1. falsch - 2. richtig - 3. falsch - 4. richtig -
5. falsch - 6. richtig - 7. richtig - 8. falsch

Ü10 b) ● Kann ich Ihnen helfen?
○ Ich suche eine blaue Weste zu diesem Jackett.
● Eine Weste, eine blaue Weste, Moment. Schauen wir
mal. Ja, da sind sie - nein. Augenblick! Übrigens,
probieren Sie doch mal diesen Pullunder!
○ Ich möchte keinen Pullunder, ich suche eine Weste!
● Ja, ja, ich weiß. Es ist nur wegen der Größe. Ich
brauche Ihre Größe. Probieren Sie doch bitte mal! So,
sehr schön, nicht wahr?
○ Na ja, nicht schlecht. Aber jetzt zeigen Sie mir mal
eine blaue Weste!
● Neunundsiebzig Mark, reine Wolle, nicht teuer.
○ Schön, das ist wirklich nicht zu teuer. Aber jetzt
zeigen Sie mir eine blaue Weste! Oder haben Sie keine?

● Ja, also, das ist so: Wir haben keine Westen mehr.
○ Keine Westen mehr? Warum sagen Sie das nicht gleich?
● Sehen Sie, Westen sind nicht mehr modern, besonders
für junge Menschen nicht. Erst Herren ab 60, 70 ...
Dieser Pullunder steht Ihnen wirklich gut.
○ Ja, er gefällt mir ja auch.
● Na also, der sitzt genau richtig, hat eine elegante
weite Form, schöne Farbe ... Oder wollen Sie noch einen
anderen Pullunder probieren - oder eine helle Weste?
○ Sie haben also doch Westen?!

11A7 Ü12 (Lösungsbeispiel)
○ Hier, hör mal: Eine gutaussehende junge Dame, 34 Jahre
alt, einen Meter sechsundsechzig groß, blond und lang-
haarig, möchte einen intelligenten, liebevollen Partner
kennenlernen.
● Was für ein Typ ist das?
○ Ein blonder, langhaariger.
● Und was für einen Mann möchte die kennenlernen?
○ Einen intelligenten, liebevollen.
● Nein, danke, das ist nichts für mich. Sind da auch noch
andere?
○ Ja, hier: Ein nettes, gutaussehendes Mädchen sucht ei-
nen lieben Mann.
● Ach, ich bin doch zu alt.
○ Du? Du bist doch nicht zu alt! Du bist doch erst 48!
● Hör auf! Ich finde Heiratsanzeigen blöd. Du auch?

11A8 Ü16 A2 - B8 - C6/7 - D1 - E3 - F5 - G4

11A9 Ü17 3: der Eßplatz / das Eßzimmer - 2: der Wohnraum / das Wohnzimmer - 8: der Schlafraum / das Schlafzimmer - 7, 9: das
Kinderzimmer - 4: die Küche - 11: das Bad / das Badezimmer
- 6, 10: der Flur / die Diele - 5: die Toilette / das WC -
1: die Terrasse - 12: der Balkon / die Loggia

Ü18 (Beispiele)
Wohnzimmer: der Couchtisch, die Couch / das Sofa, das Bild,
Tischlampe, der Stuhl, der Tisch, der (Wohnzimmer-)Schrank
Schlafzimmer: das (Ehe-, Doppel-)Bett, das Kissen, die
(Tages-)Decke, der (Schlafzimmer-)Schrank, der Stuhl, die
(Frisier-)Kommode, der Spiegel, das Sideboard
Bad: die Dusche, das (Wasch-)Becken, der (Wasser-)Hahn,
der Spiegel, die Toilette
Küche: der (Küchen-, Einbau-)Schrank, die Spüle, der Herd,
der Kühlschrank
Terrasse: das Tischchen, der Klappstuhl

Ü19 ● Oh, war das langweilig!
○ Aber die Wohnung ist wirklich hübsch.
● Finde ich nicht.
○ Doch, schön groß, und beide haben ein Arbeitszimmer.
Das haben wir nicht. Und der Kleine hat auch ...
● Ein frecher Kerl! "Papa ist doof" - hast du das gelesen?
○ Ja, ja, und hast du die Küche gesehen? So hell und
freundlich! So eine möcht' ich auch haben.
● Ich finde unsere viel schöner.
○ Ach so, du bist doch nie in der Küche!
● So, du findest ihre Wohnung also schön?!
○ Ja, sehr schön!
● Das kann ich wirklich nicht verstehen! Groß ist sie,
aber alles andere ist ganz normal und langweilig.
○ Was ist langweilig?
● Die Möbel zum Beispiel!
○ Aber wir sprechen doch von der Wohnung!
● Die Möbel gehören zur Wohnung! Die sind sogar besonders
wichtig!
○ Und wie findest du unsere Möbel?

11A10 Ü20 1d; 2g; 3b; 4h; 5a; 6a; 7i; 8c; 9f; 10e

11A11 Ü21 2. Heizung, Wasser: Etwa 60 Mark im Monat.
3. Ja, jeden Monat etwa 60 Mark.
4. Zwei Monatsmieten Kaution.
5. Alles zusammen 31 Quadratmeter.
6. Die Wohnung liegt direkt im Zentrum. Schuhstraße 28.
7. Haben Sie jetzt Zeit? ... Auch gut, 15 Uhr?

Ü22 (Lösungsbeispiel)
1. Wie groß sind das Wohnzimmer und das Schlafzimmer?
2. Welche Möbel sind im Wohnzimmer?

3. Ist da (auch) noch Platz für einen Schreibtisch?
4. Wie hoch sind die Nebenkosten?
5. Und wie hoch ist die Kaution?
6. Ist eine Bushaltestelle in der Nähe?
7. Und wie weit ist es bis zum Hauptbahnhof?
8. Wann ist die Wohnung frei?
9. Wann kann ich die Wohnung anschauen?
10. Vielen Dank. Ich komme dann. Auf Wiederhören!

.W Ü1
Wohnung: Badewanne, Balkon, Dusche, Elektroherd, Kinderzimmer, Küche, Kühlschrank, Schlafzimmer, Sessel, Spüle, Terrasse, Wohnzimmer
Kleidungsstücke: Blusen, Hemden, Hosen, Hüte, Kleider, Krawatten, Mäntel, Röcke, Sakkos, Socken, Schuhe, Stiefel, Strümpfe

B3 Ü5 Gesucht!
1. Intelligente gutaussehende Dame mit rotem Haar
2. Kleines Haus mit großem Garten
3. Alter Schrank aus massivem Holz
4. Gebrauchtes Auto mit neuem Motor
5. Große Wohnung in guter Lage
6. Möbliertes Zimmer mit separatem Eingang
7. Preiswertes Appartement mit niedrigen Nebenkosten

A1 Ü2 (Lösungsbeispiel)
Wenn es keine Teiche mehr gibt, (dann) gibt es auch keine Frösche mehr, weil Frösche Teiche (Wasser) brauchen. Wenn es aber keine Frösche mehr gibt, dann gibt es auch keine Störche mehr, weil Störche Frösche fressen. Und wenn es keine Störche mehr gibt, (dann) gibt es auch keine Babys mehr, weil die Störche die Babys bringen. Und wenn es in Deutschland keine Babys mehr gibt, (dann) sterben die Deutschen aus. Also: ohne Teiche keine Deutschen!

A2 Ü3 (Lösungsbeispiele)
2. Das Geschäft muß die Ware billiger verkaufen.
3. Das Geschäft muß dem Kunden eine neue Ware geben. (Wenn keine neue Ware mehr da ist, muß das Geschäft dem Kunden das Geld zurückgeben.)
4. Das Geschäft muß die Ware reparieren, und der Käufer muß dafür nichts bezahlen.

Ü4 (Lösungsbeispiele)

Wünsche und Aussagen der Kundin:	Reaktionen und Angebote des Verkäufers:
Pullover hat Fehler.	Wir reparieren das.
Geld zurück - oder neuen?	Ja, in Gelb.
Steht mir nicht.	Probieren Sie: ähnliches Modell.
Nein! Dieser paßt zu anderen Sachen.	Tut mir leid.
Geld zurück!	Geht nicht.
Wie bitte?! Pullover hat Fehler!	Warum nicht aufgepaßt?
Erst zu Hause gesehen.	Hier war der Pullover in Ordnung!
Geschäftsführer sprechen.	Ich selbst Chef.
Sie können reparieren?	Ja.
Tun Sie das, aber: Kaufe nie mehr hier!	Ihre Sache. Also: Reparatur kostenlos.

A4 Ü9 1b; 2i; 3d; 4j; 5k; 6f; 7e; 8a; 9l; 10h; 11c; 12g

A6 Ü12
2. Weil er Kraft benötigt. / Damit er kräftig wird.
3. Damit er seine Feinde besiegen kann.
4. Weil er essen will. / Damit er essen kann.
5. ....

AW Ü1
Waagrecht: 1 Strauß; 2 rot; 3 Schere; 4 krank; 5 Mädchen; 6 Wein; 7 Vögel; 8 Bauch; 9 Blumen; 10 Jäger; 11 Hände; 12 Vorhänge
Senkrecht: 3 Steine; 4 Kuchen; 5 Maul; 6 Wolf; 13 Bäume; 14 Wald; 15 Kleider; 16 Ohren; 17 Sonnenstrahlen; 18 Augen; 19 Schule
Lösungswort: Großmutter

Ü3 (Lösungsbeispiele)
sehen: die Haustür, das Fenster, die dunklen Fenster, den Herrn im dritten Stock
öffnen: die Haustür, das Fenster, die dunklen Fenster
fragen: "Warum?", den Herrn im dritten Stock, "Haben Sie keinen Schlüssel?"
rufen: "Ja, die Tür ist zu.", "Haben Sie keinen Schlüssel?", "Man kann ja nicht schlafen!"
pfeifen: ein Lied, auf der Straße, vor einer Haustür
antworten: "Ja, die Tür ist zu."
runterwerfen: einen Schlüssel
fragen: "Warum?", den Herrn im dritten Stock, "Haben Sie keinen Schlüssel?"
brauchen: einen Schlüssel
aufmachen: die Haustür, das Fenster, die dunklen Fenster
stehen: auf der Straße, vor einer Haustür
schreien: "Warum?", auf der Straße, vor einer Haustür, "Ja, die Tür ist zu.", "Haben Sie keinen Schlüssel?", "Man kann ja nicht schlafen!"
spazierengehen: auf der Straße, vor einer Haustür
nicht verstehen: den Herrn im dritten Stock

Ü6 (Lösungsbeispiele)
Ausbildung/Studium: Werkstatt, Student(in), Germanistik, Berater(in), Magister, Klasse, Klassenzimmer, Schauspielausbildung, Lehrer(in), Schule, Universität, Dozent(in), Abitur, Meister(in), Anglistik, Ferien
Beruf/berufliche Tätigkeit: Werkstatt, Arbeiter(in), Hausmeister(in), Mitarbeiter(in), Sekretär(in), Arzt, Ärztin, Berater(in), Dolmetscher(in), Urlaub, Hausmann, Chef(in), Kollege, Kollegin, Lehrer(in), Hausfrau, bei Ford, Mittagspause, 8-Stunden-Tag, Besenbinder(in)

Ü7 (Lösungsbeispiele)
Koffer: Reise, Ferien
Fahrrad: Reise, naß, Ferien
Papagei: spielen, sprechen
Schuh: naß, Wanderung, Fuß
Wecker: Musik, aufstehen, Reise
Surfbrett: Ferien, naß
Skier: Winter, naß, Wanderung, Fuß, Ferien
Handtasche: Geld
Fernseher: Musik, Film
Schirm: Reise, naß
Gepäck: Reise, Wanderung, Ferien
Cassettenrecorder: Musik, spielen
Schachbrett: spielen

Ü10 (Lösungsbeispiele)
1: Wecker; 2: Eile; 3: Arbeit; 4: war; 5: kaputt; 6: anspringen; 7: Benzin; 8: Benzin; 9: tanken; 10: fuhr; 11: waren; 12: rot; 13: entgegen; 14: fuhr; 15: (Strassen-)Seite; 16: stießen; 17: stürzte; 18: um; 19: keiner/niemand; 20: verletzt; 21: schnell; 22: schuld; 23: Straße; 24: fahren; 25: Strafe (Bußgeld); 26: zahlen; 27: verhaftet; 28: kaputt; 29: zur; 30: Reparatur

Ü12 a) 1: Hände; 2: Unfall; 3: Rabatt; 4: Bier; 5: Kaffee; 6: Obergeschoß; 7: Zahnbürste; 8: Beine
b) Hände (Gruppe 5); Unfall (Gruppe 1); Rabatt (Gruppe 6); Bier (Gruppe 3); Kaffee (Gruppe 4); Obergeschoß (Gruppe 7); Zahnbürste (Gruppe 4); Beine (Gruppe 5)
c) (Vorschläge)
1: Verkehr; 2: Obstgarten; 3: Alkohol; 4: am Morgen; 5: Körperteile; 6: Kauf; 7: Wohnung; 8: menschliche Eigenschaften

Ü13 (Lösungsbeispiele)
1. a) Wieso nicht?
   b) Entschuldigung, das habe ich nicht gewußt (gesehen).
2. Entschuldigen Sie bitte, hier ist Nichtraucher (hier dürfen Sie nicht rauchen).
3. Entschuldigung, kann ich (von) hier telefonieren?
4. a) Nein danke, du hast zuviel getrunken (du bist blau, du kannst gar nicht mehr fahren); fahr nicht!
   b) Komm, wir nehmen lieber ein Taxi (wir gehen lieber zu Fuß; wir rufen XY an, der/die kann uns nach Hause fahren).
5. Woher kennen Sie mich? Ich kenne Sie leider nicht. / Ich kann mich nicht an Sie erinnern.

6. a) Haben Sie auch schon gesehen, daß bei Neumeiers
der Zeitungskasten nicht geleert ist, schon seit
Tagen? Das ist doch seltsam! Was glauben Sie?
   b) XY, guten Tag. Bei meinen Nachbarn, Familie Neumeier in der X-Straße Nummer Y, ist seit Tagen der
Zeitungskasten nicht geleert; die Garage ist auch
schon seit ein paar Tagen offen, aber niemand ist
da. Können Sie einmal vorbeikommen?

7. Entschuldigen Sie bitte, daß ich bei Ihnen geklingelt
habe; aber ich habe meinen Haustürschlüssel vergessen/verloren. Und vielen Dank, daß Sie mir geholfen
haben (mir die Haustür aufgemacht haben).

8. Guten Tag, Herr/Frau X, gestern abend war es wieder
bis in die Nacht so laut bei Ihnen, daß ich nicht
schlafen konnte. Und nicht nur gestern abend: Fast
jeden Abend ist bei Ihnen so viel Lärm; und immer bis
ein, zwei Uhr in der Nacht. Das ist verboten. Ich
möchte Sie deshalb bitten, daß Sie wenigstens nach
zehn Uhr abends nicht mehr so viel Lärm machen, denn
Lärm macht krank.

9. a) Vielen Dank, aber ich hab' schon einen Staubsauger.
   b) Ich brauche keinen Staubsauger! Ich kann meine
Wohnung auch ohne Staubsauger saubermachen.
   c) Was soll der Staubsauger denn kosten? ...
So viel?! Das ist viel zu teuer!

10. --

11. Es war einmal ein armes kleines Mädchen, das hatte
keine Eltern mehr, keine Wohnung und kein Bett; es
hatte nur noch seine Kleider und ein Stückchen Brot.
Es hatte aber ein gutes Herz. Es ging hinaus ins Feld.
Da begegneten ihm andere arme Menschen, ein Mann und
viele Kinder, die hatten auch nichts. Denen gab das
arme Mädchen nach und nach alles, was es hatte: das
Brot und seine Kleider, ja sogar sein Hemd. Und als
es da stand und gar nichts mehr hatte, geschah etwas
Wunderbares: Vom Himmel fielen Sterne, und es waren
blanke Goldstücke. Die sammelte das arme Mädchen in
sein neues Hemd; und es war reich bis an sein Lebensende.

12. --
13. --
14. Ich habe meine Uhr verloren: Sie ist rund, weiß, ...
15. Ich suche/möchte einen Pullover / ein T-Shirt / eine Hose, Größe "6", ...
16. Phantastisch!/Super! Die/Das/Der steht dir wirklich toll! .....
17. Ich habe gesagt: Blau, und nicht so teuer! Haben Sie keine blauen?
18. --
19. Ist das Zimmer noch frei? Wo liegt es? Wie weit ist
es bis zum Zentrum? Wie groß ist die Wohnung? Was
gehört noch zur Wohnung? Welche Möbel sind in dem
Zimmer? Wie hoch sind die Nebenkosten? Ist eine
Bushaltestelle in der Nähe? Kann ich die Wohnung
sehen? ...

20. Das ist doch ganz einfach! Ohne Teiche gibt es keine
Frösche, weil Frösche Wasser brauchen. Und wenn es
keine Frösche gibt, gibt es auch keine Störche mehr,
weil Störche Frösche fressen. Und wenn es in Deutschland keine Störche mehr gibt, gibt es auch keine Babys mehr, weil Störche die Babys bringen. Und wenn
es keine Babys mehr gibt, ... alles klar???

21. Ich habe vor einer Stunde eine Hose bei Ihnen gekauft. Zu Hause habe ich gesehen, daß sie ein kleines Loch hat - hier, sehen Sie! Haben Sie die gleiche Hose noch einmal? / Eine andere Hose möchte ich
nicht. / Geben Sie mir bitte mein Geld zurück.

22. Zuerst darf die Straßenbahn fahren, weil sie auf der
Vorfahrtsstraße fährt (und nicht abbiegt). Dann darf
der Motorradfahrer fahren, weil er geradeaus fährt.
Das Auto muß warten, weil es links abbiegt.

23. Der Wolf legte sich ins Bett und schlief weiter; er
schnarchte. Da kam der Jäger zu dem Haus; er hörte
das Schnarchen und wunderte sich. Er ging in das
Haus der Großmutter, fand den Wolf und schnitt ihm
den Bauch auf. Rotkäppchen und die Großmutter lebten
noch. Danach taten sie schwere Steine in den Bauch
des Wolfes, und der Jäger nähte den Bauch des Wolfes
wieder zu.
Als der Wolf wach wurde und trinken wollte, fiel er
in den Brunnen und war tot.

24. a) Finden Sie, daß ich viel rauche? / Ich rauche
doch gar nicht viel, nur 8-10 Zigaretten am Tag!
    b) Das frage ich mich auch.

9-12K

A Wörter
1b; 2d; 3c; 4b; 5a; 6c; 7d; 8c; 9b; 10d; 11c; 12d

B Grammatik
1d; 2a; 3d; 4b; 5a; 6b; 7a; 8d; 9d; 10c; 11b; 12c

C Orthographie
1/2: Schreibmaschine; 3: Zwei; 4: Buchstaben; 5: funktionieren; 6: Ihr; 7: Freund; 8: reparieren; 9: bringt;
10: ins; 11: zurück.
12: Heute; 13: neue; 14: Verkäufer; 15: freundlich;
16: teuer; 17: läuft; 18: Scheußlich.
19: Straße; 20: steht; 21: das; 22: Wasser; 23: Hast;
24: verstanden; 25: was; 26: Das; 27: Was; 28: Daß;
29: verstanden; 30: hast.
31: Ware; 32: hat; 33: Fehler; 34: darum; 35/36: Reparatur; 37: bezahlen.

D Lesen
1 Stockes - 2 Haben - 3 der - 4 zu - 5 keinen - 6 Ist -
7 eine - 8 Ja - 9 Herr - 10 Ihnen - 11 schrie -
12 Haustür - 13 am - 14 Herr - 15 daß - 16 dann -
17 den - 18 Sie - 19 Nein - 20 Sie - 21 Herr - 22 nicht -
23 schrie - 24 warum - 25 Schlüssel - 26 ich - 27 sie -
28 Schlüssel - 29 ich - 30 Ich - 31 daß - 32 rief -
33 Fenster - 34 hier - 35 Pfeifen - 36 im - 37 Herr -
38 wenn - 39 haben - 40 Ich

13A2   Ü1

a)
2. Zeichne / Du zeichnest vier Quadrate (Seitenlänge 3 cm) auf diese Pappe.

3. Zeichne / Du zeichnest je ein Quadrat über und unter das dritte Quadrat von links. ...

4. Schreib(e) / Du schreibst auf das erste Quadrat eine "1", auf das dritte eine "6", ...

5. Schneide / Du schneidest dann die ganze Figur aus und mach' / (Du) machst einen Körper daraus.

b)
Ich habe (dann) vier Quadrate (Seitenlänge 3 cm) auf diese Pappe gezeichnet.

Ich habe (danach) je ein Quadrat über und unter das dritte Quadrat von links gezeichnet. ...

Ich habe auf das erste Quadrat eine "1", auf das dritte eine "6", ... geschrieben.

Ich habe dann die ganze Figur ausgeschnitten und einen Körper daraus gemacht.

13A3/4   Ü2

b) Zutaten:
Festkochende, gelbfarbige Kartoffeln (z. B. "Granola" oder "Hansa"), frische Milch, Butter, Muskat(nuß)

c) (Lösungsvorschläge)
Zuerst wird die Kartoffel geschält, dann wird sie in kleine Stücke geschnitten. Dann wird sie in Salzwasser gekocht, aber nicht zu lange!
Die Milch wird gekocht; sie wird mit einem Stück Butter versetzt. Muskat(nuß) wird in die Milch gerieben, und die Milch wird leicht gesalzen.
Die Kartoffeln müssen etwa 18-20 Minuten kochen.
Die gekochten Kartoffeln werden durch die Kartoffelpresse in ein warmes Gefäß gepreßt; die heiße Milch wird über die Kartoffeln gegossen und mit einem Schneebesen vorsichtig untergerührt. Dann wird das Kartoffelpüree kräftig geschlagen.

d) Es wird etwas schaumig. Man sagt also nicht nur "Kartoffelpüree", man nennt es auch "Kartoffelschnee".
Und auf diese Weise erreichen wir die schöne Konsistenz - ist es zu fest, geben wir noch etwas Milch nach - , und so wird aus diesem Kartoffelpüree eine leckere Beilage zu sehr vielen guten Gerichten.

e) o Vielen Dank, Herr Roscher.
   • Vielen Dank für das Interview. Ich hab' noch eine
Frage: Sie können jetzt wahrscheinlich nach meiner
Anleitung ein Kartoffelpüree nachkochen?
   o Ohne weiteres.
   • Jetzt hab' ich aber noch eine Frage: Wissen Sie, wie
ein Reh mit Vornamen heißt?
   o Ein Reh mit Vornamen?
   • Ja, das Reh.
   o Nein.
   • Das ist ganz einfach: "Kartoffelpü"!!!

130

3A5 Ü4 2. Wenn man einmal auf die Lösch-/Stop-Taste drückt, wird ein Mehrfachkopiervorgang gestoppt.
Wenn man noch einmal auf diese Taste drückt, wird die Anzeige auf "1" zurückgesetzt.
3. Wenn man auf die "-"-Taste drückt, wird die gewünschte Kopienzahl (zwischen 1 und 19) vermindert.
4. Wenn man auf die "+"-Taste drückt, wird die gewünschte Kopienzahl (zwischen 1 und 19) erhöht.
5. Wenn die Wiedergabe zu dunkel ist, muß der Belichtungsregler nach rechts verschoben werden.
Wenn die Wiedergabe zu hell ist, muß der Belichtungsregler nach links verschoben werden.

Ü5 a) 4, 3; b) 5; c) 0; d) 4, 3; e) 2; f) 4, 1; g) 5.

3A6 Ü6 b) (Lösungsvorschläge)
1. Auf allen Fernstraßen (in) Richtung Süden.
2. Auf der Autobahn München - Salzburg (zwischen den Anschlußstellen Hofoldinger Forst und Holzkirchen) in Richtung Salzburg; auf der Autobahn Nürnberg - München (zwischen dem Autobahndreieck Holledau und Allershausen) in beiden Richtungen; auf der Autobahn München - Garmisch in Richtung Garmisch (besonders vor Eschenlohe).
3. Mehrere (Verkehrs-)Unfälle und Baustellen.
4. An den Grenzübergängen Salzburg und Mittenwald-Scharnitz gibt es lange Wartezeiten.

3AW Ü1 1: herkommen; 2: bemalen; 3: hinbringen; 4: einstellen; 5: aufkochen; 6: zusammenfalten; 7: anfassen; 8: aufheben; 9: auslösen; 10: aufpassen; 11: einrühren; 12: zubereiten; 13: ausschneiden; 14: zugeben.
Lösungswort: Kartoffelpüree

3B1 Ü1 1. Fangen wir doch an! 2. Machen wir doch Schluß! 3. Gehen wir doch nach Hause! 4. Warten wir doch noch fünf Minuten! 5. Geben wir ihnen doch noch eine Chance!
6. Seien wir doch einmal ehrlich! 7. Haben wir doch noch ein wenig Geduld! 8. Schenken wir ihr doch eine Schallplatte! 9. Fahren wir doch einmal nach Paris! 10. Besuchen wir doch mal unsere Lehrerin!

3B1/2 Ü3 1. a) Können Sie den Satz bitte noch einmal wiederholen?
b) Würden Sie den Satz bitte noch einmal wiederholen?
c) Wiederholen Sie den Satz (doch) bitte noch einmal.
2. a) Können Sie bitte etwas langsamer sprechen? b) Würden Sie bitte etwas langsamer sprechen? c) Sprechen Sie (doch) bitte etwas langsamer!
3. a) Können Sie mir die Aufgabe bitte noch einmal erklären? b) Würden Sie mir die Aufgabe bitte noch einmal erklären? c) Erklären Sie mir (doch) bitte die Aufgabe noch einmal!
4. a) Können Sie bitte einen Moment warten? b) Würden Sie bitte einen Moment warten? c) Warten Sie (doch) bitte einen Moment!
5. a) Können Sie mir bitte einen Hundertmarkschein wechseln? b) Würden Sie mir bitte einen Hundertmarkschein wechseln? c) Wechseln Sie mir (doch) bitte einen Hundertmarkschein!
6. a) Können Sie bitte die Tür schließen? b) Würden Sie bitte die Tür schließen? c) Schließen Sie (doch) bitte die Tür!
7. a) Können Sie bitte der Lehrerin sagen, daß ich krank bin? b) Würden Sie bitte der Lehrerin sagen, daß ich krank bin? c) Sagen Sie (doch) bitte der Lehrerin, daß ich krank bin!
8. a) Können Sie bitte diesen Brief zur Post bringen?
b) Würden Sie bitte diesen Brief zur Post bringen?
c) Bringen Sie (doch) bitte diesen Brief zur Post!
9. a) Können Sie mich bitte morgen nachmittag anrufen?
b) Würden Sie mich bitte morgen nachmittag anrufen?
c) Rufen Sie mich (doch) bitte morgen nachmittag an!
10. a) Können Sie mir bitte Ihre Telefonnummer geben?
b) Würden Sie mir bitte Ihre Telefonnummer geben?
c) Geben Sie mir (doch) bitte Ihre Telefonnummer!

13B3/4 Ü4 1. Zuerst wird das Filterpapier in den trockenen Filter eingesetzt. 2. Für jede Tasse wird ein Löffel voll fein gemahlenem Kaffee hineingegeben. 3. Das Kaffeepulver wird mit kochendem Wasser kurz übergossen; anschließend wird die gewünschte Menge Wasser auf einmal aufgefüllt.

Ü5 1. Wo werden hier Autos repariert? - ...
2. Wie wird Tomatensuppe gekocht? - ...
3. Warum werde ich nicht informiert? - ...
4. Wie wird das Wort "Kaffee" auf deutsch geschrieben? - ...
5. Wo warst du? Du wirst schon seit einer Stunde gesucht.
6. Herzlich willkommen! Sie werden schon erwartet.
7. In der Gebrauchsanleitung wird genau erklärt, wie man das macht.
8. ... Hier werden Sie wie ein König bedient.
9. ... Du wirst beobachtet.

13B8 Ü7 2. Dann müssen sie in etwas Butter angebraten werden.
3. Erst wenn die Butter goldbraun ist, soll ein Eßlöffel Mehl dazugegeben werden. 4. Dann sollen die Tomaten halbiert und dazugefügt werden. 5. Die Suppe darf nur bei geringer Hitze gekocht werden. 6. Schließlich kann auch noch Reis gekocht und in die Suppe gegeben werden. 7. Der Reis kann aber auch durch drei Eßlöffel Stärkemehl ersetzt werden.

13B9 Ü8 2. Wenn der Urlaubsort mit dem eigenen PKW angesteuert wird, dann sollten auf jeden Fall die verkehrsreichen Tage gemieden werden. 3. Obwohl viele Baustellen in der Urlaubszeit aufgehoben werden, können Staus dennoch nicht vermieden werden. 4. Der Fachmann erklärt, daß mit dem Belichtungsregler der Kontrast der Wiedergabe eingestellt werden kann. 5. Er erklärt weiter, daß der Belichtungsregler nach links verschoben werden muß, wenn die Wiedergabe zu hell ist. 6. Wenn die Anzahl der Kopien erhöht werden soll, muß man auf die "+"-Taste drücken.

14A5 Ü6 (Lösungsbeispiele)
2. a) Erziehungsziele sind Ziele, die man in der Erziehung erreichen will. b) Haupterziehungsziele sind Ziele, die in der Erziehung ganz besonders wichtig sind. 3. Mit "Bundesbürger" bezeichnet man die Deutschen, die in der Bundesrepublik leben. 4. Sozialwissenschaften sind Wissenschaften, die die sozialen Beziehungen zwischen Menschen und zwischen Gruppen von Menschen analysieren. 5. Eine Einbruchsstatistik ist eine Statistik, in der die Zahl der Einbrüche beschrieben wird. 6. Ein Dokumentationszentrum ist ein zentrales Institut, in dem Informationen gesammelt, erforscht und dokumentiert werden.

Ü9 a) zuverlässig - genau - sparsam - risikofreudig - selbständig - folgsam
b) die Reserviertheit - die Verschlossenheit - die Höflichkeit - die Schwierigkeit - die Offenheit - die Seltenheit - die Herzlichkeit

Ü11 1. Zeilen 11-13; 2. Zeilen 21-25; 3. Zeilen 4-6; 4. Zeilen 26-29 (32); 5. Zeilen 14-18

14A6 Ü12 2. fleißig; 3. tapfer; 4. phantasielos; 5. kleinlich; 6. aufrichtig; 7. ausländerfeindlich; 8. schwerfällig/kalt; 9. demokratischer; 10. beweglich; 11. bescheiden; 12. tolerant; 13. zuverlässig; 14. humorlos; 15. friedlich

14A7 Ü14 2. nein (Zeilen 3-6); 3. nein (Zeilen 6-9); 4. nein (Zeilen 9-11); 5. ja (Zeilen 11-15); 6. ja (Zeilen 15-18); 7. nein (Zeilen 18-20); 8. nein (Zeilen 20-23)

14AW Ü1 groß - klein; lieb/gut - böse; dick - dünn; gut - schlecht; hoch - tief; jung - alt; schön - häßlich; klug - dumm; leicht - schwer; schwierig - einfach; langsam - schnell; kalt - warm; ernst - lustig; viel - wenig; neu - alt/gebraucht; kurz - lang; sauber - schmutzig; langweilig - interessant; selten - häufig; negativ - positiv; progressiv - konservativ; schwach - stark; fleißig - faul; fest - lose; reich - arm; verschlossen - offen

Ü2 Der ganze Text von Volker Erhardt:

Links ist linker als rechts	Rechts ist etwas weniger links als links
Oben ist höher als unten	Unten ist nicht so hoch wie oben
Vorn ist weiter vorn als hinten	Hinten ist fast so weit vorn wie vorn
Groß ist größer als klein	Klein ist nicht ganz so groß wie groß
Lang ist länger als kurz	Kurz ist weniger lang als lang
Schnell ist schneller als langsam	Langsam ist nicht so schnell wie schnell
Stark ist stärker als schwach	Schwach ist fast so stark wie stark
Schön ist schöner als häßlich	Häßlich ist weniger schön als schön
Sicher ist sicherer als unsicher	Unsicher ist nicht so sicher wie sicher
Klug ist klüger als dumm	Dumm ist fast so klug wie klug
Ehrlich ist ehrlicher als unehrlich	Unehrlich ist weniger ehrlich als ehrlich
Reich ist reicher als arm	Arm ist nicht so reich wie reich
Gut ist besser als schlecht	Schlecht ist fast so gut wie gut

14B1 Ü1 1. a) Berlin ist schön; London ist schöner; Paris ist noch schöner; Paris ist am schönsten.
b) Berlin ist nicht so schön wie London; aber Paris ist schöner als London.
2. a) Die Bundesrepublik ist ziemlich klein; die DDR ist kleiner; die Schweiz ist noch kleiner; die Schweiz ist am kleinsten.
b) Die Bundesrepublik ist nicht so klein wie die DDR; aber die Schweiz ist kleiner als die DDR.
3. a) Der VW ist ziemlich teuer; der Ford ist teurer; der Mercedes ist noch teurer; der Mercedes ist am teuersten.
b) Der VW ist nicht so teuer wie der Ford; aber der Mercedes ist teurer als der Ford.
4. a) Das Auto ist schnell; der Zug ist schneller; das Flugzeug ist noch schneller; das Flugzeug ist am schnellsten.
b) Das Auto ist nicht so schnell wie der Zug; aber das Flugzeug ist schneller als der Zug.
5. a) Das Buch ist ziemlich langweilig; das Fernsehspiel ist langweiliger; der Kinofilm ist noch langweiliger; der Kinofilm ist am langweiligsten.
b) Das Buch ist nicht so langweilig wie das Fernsehspiel; aber der Kinofilm ist langweiliger als das Fernsehspiel.
6. a) Peter ist nett; Fritz ist netter; René ist noch netter; René ist am nettesten.
b) Peter ist nicht so nett wie Fritz; aber René ist netter als Fritz.
7. a) Meine Schwester ist jung; mein Bruder ist jünger; ich bin noch jünger; ich bin am jüngsten.
b) Meine Schwester ist nicht so jung wie mein Bruder; aber ich bin jünger als mein Bruder.
8. a) Mein Vater ist ziemlich alt; meine Mutter ist älter; meine Tante ist noch älter; meine Tante ist am ältesten.
b) Mein Vater ist nicht so alt wie meine Mutter; aber meine Tante ist älter als meine Mutter.
9. a) Die Osterferien sind kurz; die Weihnachtsferien sind kürzer; die Herbstferien sind noch kürzer; die Herbstferien sind am kürzesten.
b) Die Osterferien sind nicht so kurz wie die Weihnachtsferien; aber die Herbstferien sind kürzer als die Weihnachtsferien.
10. a) Milch trinke ich gern; Tee trinke ich lieber; Kaffee trinke ich noch lieber; Kaffee trinke ich am liebsten.
b) Milch trinke ich nicht so gern wie Tee; aber Kaffee trinke ich lieber als Tee.
11. a) Die Deutschen arbeiten ziemlich viel; die Schweizer arbeiten mehr; die Japaner arbeiten noch mehr; die Japaner arbeiten am meisten.
b) Die Deutschen arbeiten nicht so viel wie die Schweizer; aber die Japaner arbeiten mehr als die Schweizer.

14B3 Ü4 2. ... ich habe mich sehr darüber gefreut. 3. ... sie plagen sich. 4. Jim hat sich mit Maria ... verabredet.
5. Worüber habt ihr euch denn unterhalten? - ... 6. ... ich habe mich geirrt. 7. "... sie ernähren sich." 8. Mit diesem Problem haben wir uns lange beschäftigt.
9. ... ich habe mich heute fürchterlich über meinen Chef geärgert. 10. ... ich kann mich wirklich nicht an Sie erinnern. 11. Interessiert ihr euch auch für moderne Literatur? 12. Willst du dich nicht setzen?

14B4 Ü5 2. Läßt du mich bitte mal auf deinem Rad fahren? 3. Wir lassen uns nicht nervös machen. 4. Laß den Motor nicht so lange laufen! 5. Wir lassen die Kartoffeln 15 Minuten lang kochen. 6. Laßt ihr eure Kinder schon alleine nach London fliegen? 7. Meine Eltern lassen mich nicht alleine in Urlaub fahren. 8. Jetzt hör mir bitte zu und laß mich erst mal ausreden!

15A1 Ü2 a)

Gespräch	Inhaltsangabe	Personengruppe
1	B	①
2	E	②
3	A	③
4	C	④
5	D	⑤

15A2 Ü3 1. richtig; 2. falsch; 3. richtig; 4. falsch; 5. richtig; 6. richtig; 7. richtig.

15A5 Ü6 2. Schauer; 3. Durchzug eines Regengebietes; 4. örtlich Gewitter; 5. Mäßiger und böiger Südwestwind; 6. Veränderlich bewölkt; 7. schauerartige Niederschläge; 8. Stark bewölkt; 9. zeitweise Regen oder Gewitter; 10. Heiter bis wolkig; 11. Heiter, zeitweise wolkig; 12. Wechselnd, meist stark bewölkt; 13. Längere Aufheiterungen; 14. Meist sonnig; 15. Schauer oder Gewitter; 16. Später zunehmend sonnig.

Ü7 b) (Lösungsbeispiele)

1. Österreich und die Schweiz:
bedeckt, regnerisch, 9-13°, 2000 m Höhe: 0°; Wochenende: Winde aus West bis Nordwest, Niederschläge, sinkende Temperaturen.

2. Östliche Landesteile Österreichs:
Manchmal aufgelockerte Bewölkung, bis 18°.

3. Südfrankreich, Oberitalien und Nordjugoslawien:
bewölkt bis bedeckt, Regenschauer, anfangs 10 - 14°; später Wolkenauflockerung, Erwärmung bis um 20°, Wasser: 18 - 20°.

4. Mittelitalien, südliches Jugoslawien, Griechenland, Bulgarien und die Türkei:
Wolkig bis heiter, niederschlagsfrei, 25 - 32°, am Wochenende noch ansteigend; hohe Luftfeuchtigkeit, Neigung zu Hitzegewittern; Wasser: 22 - 25°.

15A6 Ü8 2. Zeilen 4-7; 3. Zeilen 7-11; 4. Zeilen 14-17; 5. Zeilen 12-14; 6. Zeilen 18-23; 7. Zeilen 23-26; 8. Zeilen 27-30

Ü9 1: Das Volk; die Zahl - zählen - die Zählung
2: wohnen - der Einwohner; die Zahl
3: das Volk - bevölkern - die Bevölkerung; die Zahl; sich entwickeln - die Entwicklung

15B1/3 Ü2 a) 2. Er wird seinen Freund zum Essen eingeladen haben. 3. Willi und sein Freund werden über das alten Zeiten gesprochen haben. 4. Dabei werden sie ein Glas zuviel getrunken haben. 5. Willi wird die Tonne vor der Garage nicht gesehen haben. 6. Er wird vor der Garage zu spät gebremst haben. 7. Er wird seinen Hausschlüssel nicht gefunden haben. 8. Er wird seinen Hausschlüssel verloren haben. 9. Deshalb wird er geklingelt haben. 10. Willis Frau wird "sauer" gewesen sein.
b) 1. Der Einbrecher wird gewußt haben, daß an diesem Abend eine Party stattfand. 2. Er wird das Haus und seine Bewohner schon lange Zeit vorher beobachtet haben. 3. Er wird einen Helfer gehabt haben. 4. Der Helfer wird die ganze Zeit die Party im Erdgeschoß beobachtet haben, während der Einbrecher über die Mauer gestiegen ist. 5. Bei der Party wird die Musik ziemlich laut gewesen sein. 6. Deshalb wird niemand etwas von dem Einbruch bemerkt haben.

Ü3 2. Ich werde das Buch bis morgen lesen. 3. Ich werde dir mein Fahrrad leihen. / Wir werden euch unser Auto leihen. 4. Ich werde dir einen Brief schreiben. / Wir werden euch einen Brief schreiben. 5. Ich werde dich morgen anrufen. 6. Ich werde dich immer lieben. 7. Ich werde dich vom Bahnhof abholen. / Wir werden euch vom Bahnhof abholen. 8. Ich werde Sie zum Flughafen bringen. 9. Wir werden Ihnen ein Hotelzimmer reservieren. 10. Ich werde an der Konferenz nicht teilnehmen.

Ü4 a) 2. Sie werden zur Firma Meinke fahren! 3. Sie werden mit Herrn Meinke persönlich verhandeln! 4. Sie werden noch heute abend zurückkommen! 5. Sie werden mich sofort über das Ergebnis der Verhandlungen informieren! 6. Am Wochenende werden Sie dann nach Berlin fliegen!
b) 2. Du wirst jetzt still sein! 3. Ihr werdet jetzt mitkommen! 4. Du wirst sofort den Fernsehapparat ausmachen! 5. Ihr werdet sofort das Radio leise stellen! 6. Du wirst jetzt sofort die Wahrheit sagen! 7. Ihr werdet mir jetzt aufmerksam zuhören!

16A1 Ü1 b) (Lösungsbeispiele)
1. Den ersten Punkt hat Steffi Graf gewonnen. 2. Ch. Evert hat sechsmal gewonnen, Steffi Graf hat einmal gewonnen. 3. Es hat noch keine 17jährige gegeben, die so gut Tennis spielt. 4. Steffi Graf hat zuletzt 1986 in Hilton Head in zwei Sätzen gegen Ch. Evert gewonnen. 5. Ch. Evert hat nach den "US Open" im September fünf Monate Pause gemacht; sie hatte eine Knieverletzung. 6. Bei diesem Turnier ist sie in der zweiten Runde ausgeschieden. 7. Das Tennis-Stadion ist ein "Provisorium"; es ist ein "Stahlrohr-Stadion"; in ihm ist Platz für 11.200 Zuschauer. 8. Ihre Vorhand ist unheimlich; Steffi Graf spielt mit unglaublich guter Technik und mit viel Schwung; sie hat die härteste Vorhand im Damen-Tennis. 9. Sie hat fünfmal ("fünf Runden") bis zum Viertelfinale gespielt, dann noch einmal im Halbfinale gegen Martina Navratilova. 10. Die Favoritin ist Chris Evert; aber auch Steffi Graf könnte die Favoritin sein. 11. Bis jetzt hat das Match 57 Minuten gedauert. 12. An dem Turnier haben 128 Tennisspielerinnen teilgenommen, auch die zehn besten ("die ersten Zehn") der Weltrangliste. 13. Das Ergebnis ist 6:1, 6:2 für Steffi Graf. 14. Steffi Graf gewinnt sensationell glatt, in bestechender Manier; besser kann man im Moment gar nicht im Damentennis spielen. Das ist der größte Erfolg in der Karriere von Steffi Graf.

16A2 Ü2 1. Führerschein; 2. Autonarr; 3. Geldstrafe; 4. unfallfrei; 5. Motorrad, Fahrrad; 6. Verkehrssünder; 7. zeitlebens; 8. chauffieren; 9. zurückgelegt; 10. Vergangenheit

16A3 Ü3 (Lösungsbeispiele)
1. "... mit vielen Ausländern ..." ist falsch. Richtig ist: Der Autor hat viel zu tun mit Ausländern.
2. "... weil das (nämlich: die deutsche Sprache lernen) in ihren Heimatländern unmöglich ist" ist falsch. Richtig ist: In der Bundesrepublik können sie ihre Sprachkenntnisse nicht verbessern und auch kein Deutsch lernen.
3. "... ein neues Visum ..." ist falsch. Richtig ist: Er braucht eine Verlängerung seines Visums.
4. "... kennt den Professor nicht, deshalb ..." ist falsch. Im Text steht: Er ignoriert den Professor (das heißt: Er beachtet ihn nicht).
5. "... fragt er mich ..." ist falsch. Richtig ist: Er fragt den Professor.
6. "... die Sprache in jedem Fall sicher beherrschte ..." ist falsch. Richtig ist: ... bis er die Sprache mit den vielen Fällen (= Kasus, z. B. Nominativ, Akkusativ, ...) einigermaßen beherrscht.
7. "... äußert auch gelegentlich den Wunsch ..." ist falsch. Richtig ist: Er äußert auch den Wunsch, gelegentlich (= manchmal) Tennis zu spielen.
8. "Der Vorsitzende und seine Frau ..." ist falsch. Richtig ist: Die Herren und Damen (sind begeistert).
9. "... auf englisch" ist falsch. Richtig ist: Der Amerikaner antwortet auf deutsch.
10. "... und in Deutschland vor allem Tennis spielen möchte" ist falsch. Richtig ist: Er möchte vor allem seine Deutschkenntnisse verbessern und außerdem auch gern ein wenig Tennis spielen.

16A4 Ü5 1: frisch - (sich) erfrischen - die Erfrischung; trinken; verbrauchen - der Verbrauch
2: die Ernährung - (sich) ernähren - die Nahrung; bedingt - die Bedingung; das Mittel

Ü6 1. ... die man trinkt, wenn man sich erfrischen möchte.
2. ... mit denen die Menschen sich ernähren.
3. ... Nahrungsmittel, die die Basis der Ernährung der Menschen sind.
4. ... die durch (falsche) Ernährung verursacht sind.

16A5 Ü7 1. richtig; 2. richtig; 3. falsch; 4. falsch; 5. falsch; 6. richtig; 7. richtig; 8. falsch; 9. richtig; 10. falsch

16B3 Ü2 2: Ver/besser/ung - ver/besser/n - besser
3: Be/kleid/ung - be/kleid/en - Kleid - kleid/en - Kleid/ung
4: Be/frag/ung - be/frag/en - frag/en - Frag/e
5: Ver/pack/ung - ver/pack/en - pack/en
6: Un/ge/recht/ig/keit - un/ge/recht - ge/recht - Recht
7: ge/schmack/voll - Ge/schmack - schmeck/en - ge/schmack/los
8: ängst/lich - Angst
9: Fahr/erlaub/nis - fahr/en - erlaub/en - Erlaub/nis
10: Tennis/könig/in - Tennis - König/in - König
11: Be/wohn/er/in - Be/wohn/er - be/wohn/en - wohn/en
12: zusammen/hang/los - Zusammen/hang - zusammen/häng/en - häng/en

Ü3 (Lösungsbeispiele)
1. ..., die in einem Haus wohnt.
2. ..., die keinen Zusammenhang haben (die nicht zusammenhängen).
3. ..., darf er (ein) Auto fahren.
4. ..., wenn sie oft und leicht Angst hat (wenn sie immer Angst hat).
5. ... Hosen, Röcke, Kleider, Mäntel, Hemden, Blusen ...
6. ..., die sehr gut (am besten) Tennis spielen kann.
7. ..., der keinen Geschmack hat.
8. ... noch mehr lernen, damit man die Sprache noch besser sprechen kann.
9. ..., wenn er/sie eine Sprache gut verstehen, sprechen und schreiben kann.
10. ..., die in der Bundesrepublik leben (die Bürger der Bundesrepublik sind).
11. ... eine Reportage, die man im Fernsehen sehen und hören kann.
12. ..., die in demselben Land geboren sind.

13-16W Ü1 die Kartoffeln schälen - die Kartoffeln kochen - das Wasser salzen - den Kontrast einstellen - das Püree zubereiten - die Püreeflocken einrühren - die Muskatnuß reiben - das Wasser abgießen - den Belichtungsregler verschieben - den Kopierer einschalten - die Kopiertaste drücken - die Kartoffeln in Stücke schneiden - die Milch darüber gießen - Kopien machen

Ü3 a) pennen; b) Party; c) zügig, rasch, flink; d) fällig sein; e) Hetze; f) die Zeit drängt; g) Fahrt ins Blaue; h) Stau; i) fluchen; j) nervös; k) Schlange; l) brüllen; m) verdorben, sauer; n) Geduld; o) sich niederlassen; p) toben

Ü4 lang(e)-kurz; arm-reich; schön-häßlich; genau-ungenau; gut-schlecht/böse; schwach-stark; faul-fleißig; wenig-viel; ernst-heiter/fröhlich; dumm-klug; sensibel-gefühllos; plump-elegant; frech-brav; fleißig-faul; interessant-langweilig; korrekt-inkorrekt; beliebt-unbeliebt; spontan-überlegt; offen-verschlossen; herzlich-kühl/kalt; kühl-warm; eng-weit; dünn-dick; groß-klein; kurz-lang(e); tolerant-intolerant; langsam-schnell; freundlich-unfreundlich

Ü5 (Lösungsvorschläge)
Ehepaar; Jahrgang; Forschungsarbeit; Spazierritt; Hauptlast; Mülleimer; Schulaufgabe(n); Verbraucherdienst; Steuererklärung; Grundlage; Aufgabe; Unverstand; Bundesrepublik; Haushalt; Wandersmann

Ü6 Musiker engagieren/bezahlen - Leute einladen/ausladen - Bescheid sagen - Fenster schließen - gestreifte Krawatte tragen - Fischgrätenmuster tragen - Inspektor holen - Party absagen - Gäste einladen/ausladen - Brief zeigen - Getränke anbieten/bezahlen - Gespräche führen - Dieb erkennen - Musik hören

Ü8 Ortsangaben:
Nord- und Ostseeküste; Ostfriesland; Bodensee; Schwarzwald; in 2000 Meter Höhe; Hochschwarzwald; Südseite; Spanien; Südbayern; Türkei; Portugal; Österreich; Alpennordseite

Wetterangaben:
Bewölkung; kühl; Wasser 20 Grad; Gewitter; Südwestwind; Schauer; Regengebiet; 10 Grad; Niederschläge; heiter; regnerisch; Aufheiterungen; zunehmend sonnig; wechselnd; mäßiger Wind

Ü9 a)

Fall 1: "Einbrecher"
Person: Einbrecher, Geschäftsmann
Handlung: sieben Brillantringe/Brillanten/100.000 DM stehlen, über die Mauer steigen
Zeit/Ort: während der Party, in Grünwald, Villa, Schlafzimmer
Folgen: unbemerkt

Fall 2: "Fahren ohne Führerschein"
Person: 45jährig, Autonarr, Verkehrssünder
Handlung: unfallfrei 400.000 km zurücklegen, Motorräder und Autos chauffieren
Zeit/Ort: 28 Jahre lang, durch die Bundesrepublik
Folgen: Freiheitsstrafe, 9 Monate ohne Bewährung, 5 Jahre kein Führerschein

c)
einen Führerschein machen/erwerben/besitzen/verlieren;
400 Kilometer zurücklegen/fahren/entfernt sein;
Probleme haben/lösen/machen/erklären/suchen;
eine Frage stellen/verstehen/haben;
eine Wohnung (ver)mieten/suchen/finden/nehmen;
ein Visum wollen/erhalten/brauchen;
Geld ausgeben/verdienen/verlangen/stehlen;
eine Sprache lernen/vergessen/beherrschen;
ein Spiel verlieren/gewinnen/beginnen;
Hilfe bekommen/anbieten/bringen;
Kinder gut behandeln/lieben/mißhandeln;
Nahrungsmittel verzehren/kaufen/genießen/wegwerfen.

Ü11 (Lösungsbeispiele)
1. Könnten Sie (Könntest du) mir einen/Ihren (Deinen) Kuli leihen? Mein Kuli schreibt nicht mehr.
2. Ich hab' das nicht verstanden; könnten Sie (könntest du) das noch einmal wiederholen/sagen?
3. a) Schau mal, du warst jetzt so krank, und du hast seit ein paar Tagen nicht mehr geraucht: Vielleicht kannst du ganz aufhören? (Ich bitte dich: Hör' doch einfach ganz auf!)

b) Du weißt doch, daß Rauchen ungesund ist. Du solltest einfach ganz aufhören. (Du solltest gar nicht mehr rauchen.)
c) Du hörst jetzt sofort auf zu rauchen! (Hör' jetzt endlich auf zu rauchen!)

4. --

5. Sie haben da einen Radiowecker; der gefällt mir. Könnten Sie mir noch ein paar Informationen geben: Wie funktioniert der? Was kostet er? ...
6. Habt ihr die Verkehrsdurchsage gehört? Überall Staus! Wir sollten unseren Ausflug verschieben und heute etwas anderes machen.
7. Sie haben da zwei ältere Autos: Könnten Sie mir sagen, wie alt sie sind, wie viele Kilometer sie haben und was sie kosten sollen?
8. --
9. --
10. --
11. Die werden wohl noch kommen, sie werden in einen Stau gekommen sein.
12. Ich werde dich jeden Tag anrufen, und ich werde dir jeden zweiten Tag einen Brief schreiben, ganz bestimmt!
13. a) Das Interesse an der deutschen Sprache wird (könnte) abgenommen haben. / Die Deutschkurse werden (könnten) teurer geworden sein.
b) In zehn Jahren werden wieder mehr Menschen Deutsch lernen, weil es dann mehr Menschen auf der Erde geben wird.
14. Sie werden ihn in der Cafeteria vergessen haben. / Vielleicht ist er noch bei Ihnen zu Hause.
15. --
16. Ich möchte hier meine Deutschkenntnisse verbessern: Könnten Sie mir dabei helfen? / Wie heißt das richtig auf deutsch? / Wie spricht man das auf deutsch aus?
17. Das stimmt nicht! / Das kann nicht sein! / Das hast du bestimmt vergessen: Probleme zwischen Eltern und Kindern hat es immer gegeben und wird es immer geben.
18. Das stimmt nicht. Atomreaktoren sind unsicher. Hast du Tschernobyl schon vergessen? Außerdem gibt es in allen Reaktoren immer wieder "Störungen" und Unfälle.
19. --

13-16K A Wörter
1a; 2c; 3d; 4c; 5c; 6d; 7b; 8b; 9c; 10b.

B Grammatik
1c; 2b; 3a; 4b; 5b; 6b; 7b; 8c; 9b; 10b.

C Orthographie
1: trinken; 2: Bundesbürger; 3: Jahr; 4: durchschnittlich; 5: Kilogramm; 6: Nahrungsmittel; 7: verzehrt; 8: über; 9: Flüssigkeit; 10: größte; 11: Ernährung; 12: besteht; 13: Obst; 14: Gemüse; 15: Kartoffeln; 16: Fleisch; 17: Zucker; 18: Fett; 19: Alkoholhaltige; 20: Getränke.

D Lesen
1: Kinder; 2: Nahrungsmittel; 3: Woche; 4: zuverlässig; 5: spät; 6: weniger; 7: Haushalt; 8: wegfahren; 9: schwimmen; 10: müde.

Grammatikübersicht

1. Die Satzarten

→ Lehrbuch 1A, S. 23 – 24

1.1 Die Aussage

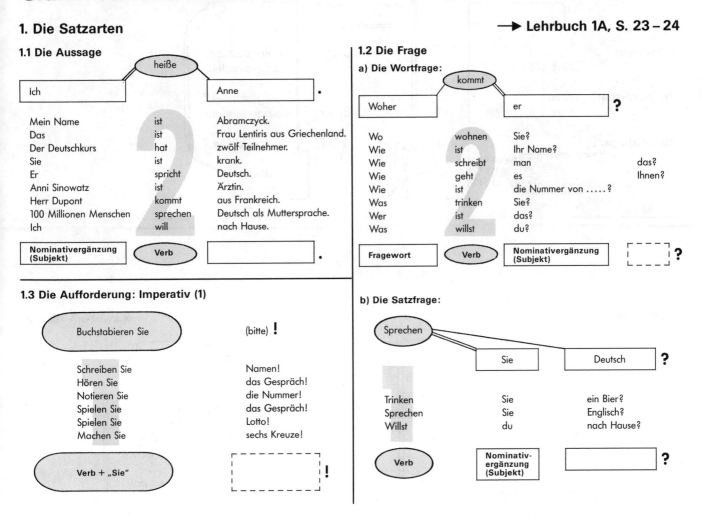

| ich | | heiße | | Anne | . |

Mein Name	ist	Abramczyck.
Das	ist	Frau Lentiris aus Griechenland.
Der Deutschkurs	hat	zwölf Teilnehmer.
Sie	ist	krank.
Er	spricht	Deutsch.
Anni Sinowatz	ist	Ärztin.
Herr Dupont	kommt	aus Frankreich.
100 Millionen Menschen	sprechen	Deutsch als Muttersprache.
Ich	will	nach Hause.

| Nominativergänzung (Subjekt) | Verb | | . |

1.2 Die Frage

a) Die Wortfrage:

| Woher | | kommt | | er | ? |

Wo	wohnen	Sie?	
Wie	ist	Ihr Name?	
Wie	schreibt	man	das?
Wie	geht	es	Ihnen?
Wie	ist	die Nummer von ..... ?	
Was	trinken	Sie?	
Wer	ist	das?	
Was	willst	du?	

| Fragewort | Verb | Nominativergänzung (Subjekt) | ? |

1.3 Die Aufforderung: Imperativ (1)

| Buchstabieren Sie | (bitte) ! |

Schreiben Sie	Namen!
Hören Sie	das Gespräch!
Notieren Sie	die Nummer!
Spielen Sie	das Gespräch!
Spielen Sie	Lotto!
Machen Sie	sechs Kreuze!

| Verb + „Sie" | ! |

b) Die Satzfrage:

| Sprechen | | Sie | Deutsch | ? |

Trinken	Sie	ein Bier?
Sprechen	Sie	Englisch?
Willst	du	nach Hause?

| Verb | Nominativergänzung (Subjekt) | | ? |

2. Die Klammer

2.1 Die Verbklammer

① Modalverb + Vollverb

→ Lehrbuch 1B, S. 18

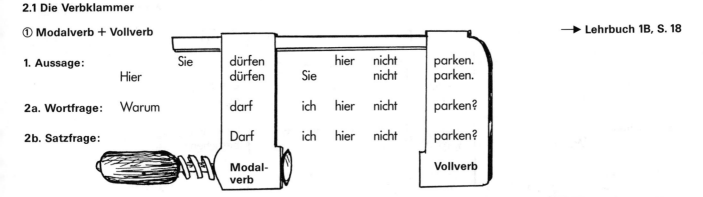

1. Aussage:		Sie	dürfen		hier	nicht	parken.
	Hier		dürfen	Sie		nicht	parken.
2a. Wortfrage:	Warum		darf	ich	hier	nicht	parken?
2b. Satzfrage:			Darf	ich	hier	nicht	parken?
			Modalverb				Vollverb

② Perfekt

→ Lehrbuch 1A, S. 86 – 87

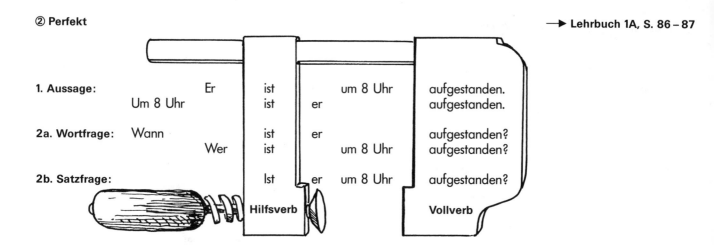

		Hilfsverb			Vollverb
1. Aussage:	Er	ist		um 8 Uhr	aufgestanden.
	Um 8 Uhr	ist	er		aufgestanden.
2a. Wortfrage:	Wann	ist	er		aufgestanden?
	Wer	ist		um 8 Uhr	aufgestanden?
2b. Satzfrage:		Ist	er	um 8 Uhr	aufgestanden?

③ Plusquamperfekt

→ Lehrbuch 1B, S. 35

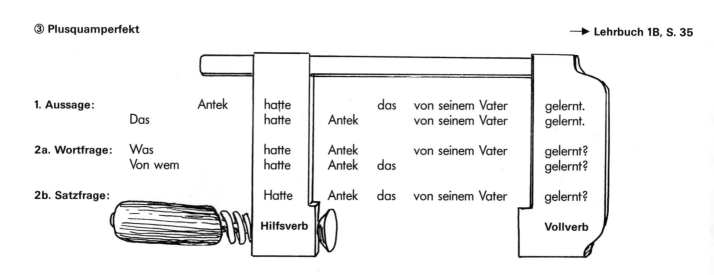

		Hilfsverb				Vollverb
1. Aussage:	Antek	hatte		das	von seinem Vater	gelernt.
	Das	hatte	Antek		von seinem Vater	gelernt.
2a. Wortfrage:	Was	hatte	Antek		von seinem Vater	gelernt?
	Von wem	hatte	Antek	das		gelernt?
2b. Satzfrage:		Hatte	Antek	das	von seinem Vater	gelernt?

④ Futur I

→ Lehrbuch 1B, S. 114 – 115

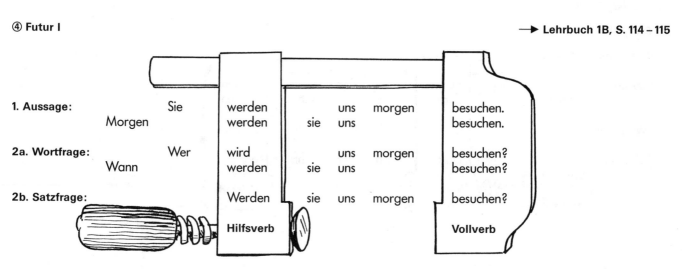

		Hilfsverb				Vollverb
1. Aussage:	Sie	werden		uns	morgen	besuchen.
	Morgen	werden	sie	uns		besuchen.
2a. Wortfrage:	Wer	wird		uns	morgen	besuchen?
	Wann	werden	sie	uns		besuchen?
2b. Satzfrage:		Werden	sie	uns	morgen	besuchen?

⑤ Futur II → Lehrbuch 1B, S. 114 – 115

		Hilfsverb			Vollverb	haben / sein
1. Aussage:	Sie	wird		das	nicht	gewußt	haben.
	Das	wird	sie		nicht	gewußt	haben.
2a. Wortfrage:	Wer	wird		das	nicht	gewußt	haben?
	Was	wird	sie		nicht	gewußt	haben?
2b. Satzfrage:		Wird	die Einwohnerzahl			gewachsen	sein?

⑥ Passiv → Lehrbuch 1B, S. 86 – 87

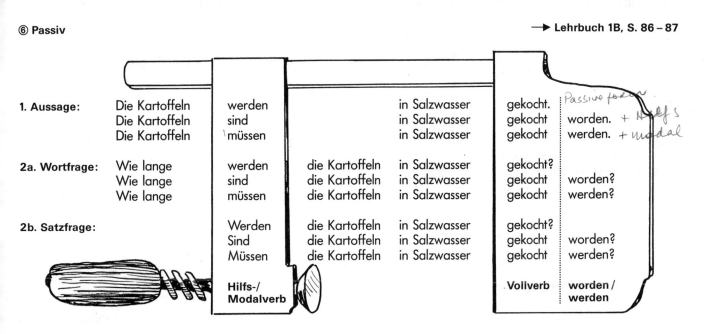

Passive form + Hilfs + modal

		Hilfs-/ Modalverb			Vollverb	worden / werden
1. Aussage:	Die Kartoffeln	werden		in Salzwasser	gekocht.	
	Die Kartoffeln	sind		in Salzwasser	gekocht	worden.
	Die Kartoffeln	müssen		in Salzwasser	gekocht	werden.
2a. Wortfrage:	Wie lange	werden	die Kartoffeln	in Salzwasser	gekocht?	
	Wie lange	sind	die Kartoffeln	in Salzwasser	gekocht	worden?
	Wie lange	müssen	die Kartoffeln	in Salzwasser	gekocht	werden?
2b. Satzfrage:		Werden	die Kartoffeln	in Salzwasser	gekocht?	
		Sind	die Kartoffeln	in Salzwasser	gekocht	worden?
		Müssen	die Kartoffeln	in Salzwasser	gekocht	werden?

2.2 Die Artikel-Nomen-Klammer

→ Lehrbuch 1B, S. 56 – 57

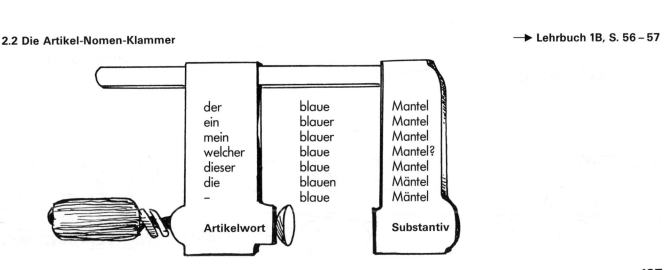

Artikelwort		Substantiv
der	blaue	Mantel
ein	blauer	Mantel
mein	blauer	Mantel
welcher	blaue	Mantel?
dieser	blaue	Mantel
die	blauen	Mäntel
–	blaue	Mäntel

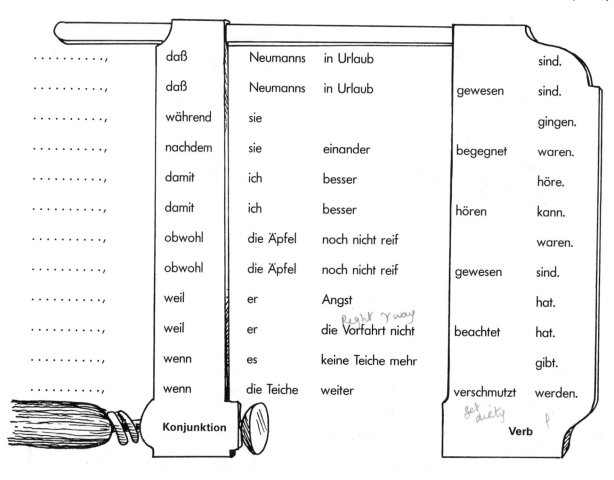

	Konjunktion				Verb
. . . . ,	daß	Neumanns	in Urlaub		sind.
. . . . ,	daß	Neumanns	in Urlaub	gewesen	sind.
. . . . ,	während	sie			gingen.
. . . . ,	nachdem	sie	einander	begegnet	waren.
. . . . ,	damit	ich	besser		höre.
. . . . ,	damit	ich	besser	hören	kann.
. . . . ,	obwohl	die Äpfel	noch nicht reif		waren.
. . . . ,	obwohl	die Äpfel	noch nicht reif	gewesen	sind.
. . . . ,	weil	er	Angst		hat.
. . . . ,	weil	er	die Vorfahrt nicht	beachtet	hat.
. . . . ,	wenn	es	keine Teiche mehr		gibt.
. . . . ,	wenn	die Teiche	weiter	verschmutzt	werden.

(handschriftlich) right y way
(handschriftlich) get dirty

3. Hauptsatz und Nebensatz

3.1 Stellung

→Lehrbuch 1B, S. 36

① Hauptsatz vor Nebensatz

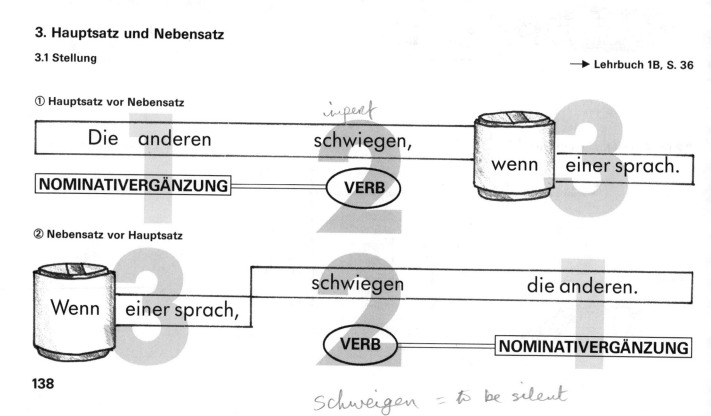

② Nebensatz vor Hauptsatz

138

(handschriftlich) Schweigen = to be silent

Herr A.	glaubt,	daß	Neumanns	in Urlaub	sind.
Frau R.	sagt,	daß	sie	das nicht	glaubt.
René	sieht,	daß	die Garage	offen	ist.
Fritz	hofft,	daß	die Sache	spannend	wird.

| | **Kon-junktion** | **Nominativ-ergänzung** | | **Verb** |

| **HAUPTSATZ** | | **NEBENSATZ** | |

„daß"-Satz = Akkusativergänzung

Herr Ackermann	glaubt	:	Neumanns sind in Urlaub.
		,	daß Neumanns in Urlaub sind.
René	sieht	:	Die Garage ist offen.
		,	daß die Garage offen ist.

Verb

| **Nominativergänzung (Subjekt)** | **Akkusativergänzung** |
| **Wer?** (oder **Was?**) | (**Wen?** oder) **Was?** |

139

die Art Kind,
Inversion
accidental by chan

① Arten von Temporalsätzen

dup

Während sie gingen, sprachen sie miteinander.
Wenn einer sprach, schwiegen die beiden anderen.
Wenn der eine zu Ende gesprochen hatte, sprach der zweite.
Sie gingen, gingen, gingen, **nachdem** sie einander zufällig begegnet waren.
Als das Mädchen eine Weile gegangen war, kam wieder ein Kind.
Als wir sechs waren, hatten wir Masern. *measles*

② Gleichzeitigkeit

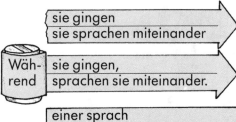

③ Vorzeitigkeit

after when

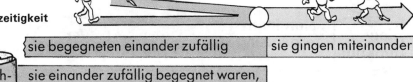

| ZUERST | PLUSQUAMPERFEKT | PRÄTERITUM | DANACH |

VORZEITIGKEIT

Ein Besenbinder ist ein Mann,

der Besen macht.

Antek Pistole machte Besen,   **die** nie kaputtgingen.
Das Mädchen hatte ein Stück Brot,   **das** ihm jemand geschenkt hatte.   *somebody*
Sie sahen (das),   **was** sich gezeigt hatte.
Sie sprachen über anderes,   **was** sich früher gezeigt hatte.
„Schenk mir etwas,   **womit** ich meinen Kopf bedecken kann!"

140

3.2.4 Der Konditionalsatz: Realis → Lehrbuch 1B, S. 70

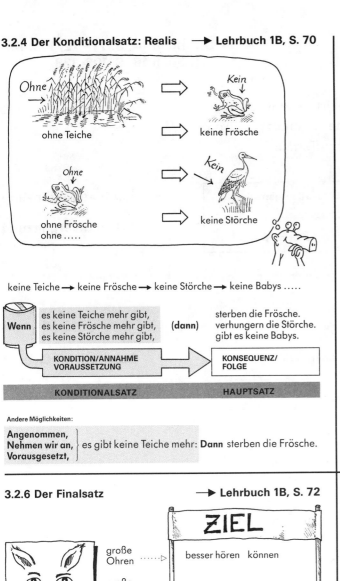

keine Teiche → keine Frösche → keine Störche → keine Babys .....

| Wenn | es keine Teiche mehr gibt, es keine Frösche mehr gibt, es keine Störche mehr gibt, | (dann) | sterben die Frösche. verhungern die Störche. gibt es keine Babys. |

KONDITION/ANNAHME VORAUSSETZUNG → KONSEQUENZ/ FOLGE

KONDITIONALSATZ — HAUPTSATZ

Andere Möglichkeiten:

Angenommen, Nehmen wir an, Vorausgesetzt, es gibt keine Teiche mehr: **Dann** sterben die Frösche.

3.2.5 Der Kausalsatz → Lehrbuch 1B, S. 71

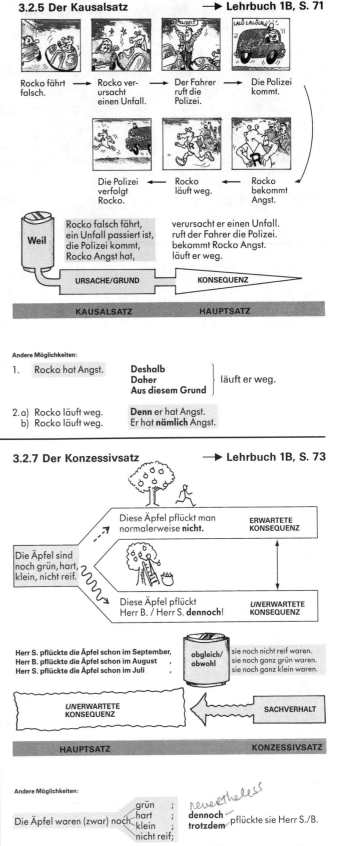

Rocko fährt falsch. → Rocko verursacht einen Unfall. → Der Fahrer ruft die Polizei. → Die Polizei kommt.

Die Polizei verfolgt Rocko. ← Rocko läuft weg. ← Rocko bekommt Angst.

| Weil | Rocko falsch fährt, ein Unfall passiert ist, die Polizei kommt, Rocko Angst hat, | verursacht er einen Unfall. ruft der Fahrer die Polizei. bekommt Rocko Angst. läuft er weg. |

URSACHE/GRUND → KONSEQUENZ

KAUSALSATZ — HAUPTSATZ

Andere Möglichkeiten:

1. Rocko hat Angst. **Deshalb / Daher / Aus diesem Grund** läuft er weg.

2. a) Rocko läuft weg. **Denn** er hat Angst.
   b) Rocko läuft weg. Er hat **nämlich** Angst.

3.2.6 Der Finalsatz → Lehrbuch 1B, S. 72

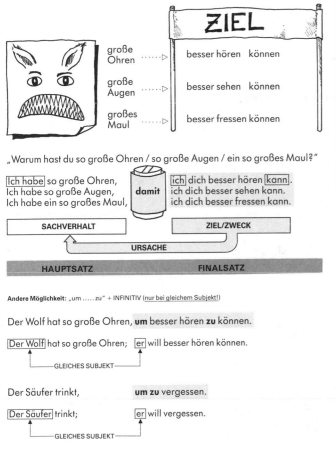

ZIEL

große Ohren ·····▷ besser hören können
große Augen ·····▷ besser sehen können
großes Maul ·····▷ besser fressen können

„Warum hast du so große Ohren / so große Augen / ein so großes Maul?"

| Ich habe so große Ohren, Ich habe so große Augen, Ich habe ein so großes Maul, | damit | ich dich besser hören kann. ich dich besser sehen kann. ich dich besser fressen kann. |

SACHVERHALT — ZIEL/ZWECK

URSACHE

HAUPTSATZ — FINALSATZ

Andere Möglichkeit: „um ..... zu" + INFINITIV (nur bei gleichem Subjekt!)

Der Wolf hat so große Ohren, **um** besser hören **zu** können.

Der Wolf hat so große Ohren; er will besser hören können.
└── GLEICHES SUBJEKT ──┘

Der Säufer trinkt, **um zu** vergessen.

Der Säufer trinkt; er will vergessen.
└── GLEICHES SUBJEKT ──┘

3.2.7 Der Konzessivsatz → Lehrbuch 1B, S. 73

Diese Äpfel pflückt man normalerweise **nicht**. — ERWARTETE KONSEQUENZ

Die Äpfel sind noch grün, hart, klein, nicht reif.

Diese Äpfel pflückt Herr B. / Herr S. **dennoch!** — UNERWARTETE KONSEQUENZ

| Herr S. pflückte die Äpfel schon im September, Herr B. pflückte die Äpfel schon im August, Herr S. pflückte die Äpfel schon im Juli, | obgleich/ obwohl | sie noch nicht reif waren. sie noch ganz grün waren. sie noch ganz klein waren. |

UNERWARTETE KONSEQUENZ ◁ SACHVERHALT

HAUPTSATZ — KONZESSIVSATZ

Andere Möglichkeiten:

Die Äpfel waren (zwar) noch { grün ; hart ; klein ; nicht reif; } **dennoch / trotzdem** *nevertheless* pflückte sie Herr S./B.

HAUPTSATZ — HAUPTSATZ

annehmen = accept, take, suppose, assume

4. Das Verb und die Ergänzungen (Satzglieder)

→ Lehrbuch 1A, S. 71–72, 103, 118;
Lehrbuch 1B, S. 103, 123

4.1

Herr Pasolini	hat	Zahnschmerzen.	
Er	ruft	einen Zahnarzt	an.
Er	möchte	einen Termin.	

Verb

Nominativergänzung (Subjekt)	Akkusativergänzung
Wer? oder **Was?**	**Wen?** oder **Was?**

Nominativergänzung

Akkusativergänzung

4.2

| Susi Wolter | ist | krank. |
| Der Motor | ist | kaputt. |

Verb

Nominativergänzung (Subjekt)	Qualitativergänzung
Wer? oder **Was?**	**Wie?**

Qualitativergänzung

4.3

Herr Gröner	fährt	nach Düsseldorf.
Er	fliegt	nach Spanien / in die Schweiz.
Frau Barbieri	kommt	aus Italien / aus Rom / aus der Schweiz.

Verb

Nominativergänzung (Subjekt)	Direktivergänzung
Wer? oder **Was?**	**Wohin?** oder **Woher?**

Direktivergänzung

4.4

| Das | ist | ein Tageslichtprojektor. |
| Marlies Demont | ist | Studentin. |

Verb

Nominativergänzung (Subjekt)	Einordnungsergänzung
Wer? oder **Was?**	**Wer?** oder **Was?**

Einordnungsergänzung

4.5

Es	ist	halb acht.
Der Zug	fährt	um 7 Uhr 50.
Die Ferien	dauern	sechs Wochen (lang).

Verb

Nominativergänzung (Subjekt)	(temporale) Situativergänzung
Wer? oder **Was?**	**Wann?/Wie spät?/Wie lange?**

(temporale) Situativergänzung

4.6

Herr Meier	wohnt	rechts/links.
Das Rathaus	ist	da vorne/da hinten/
		in der 2. Straße rechts.
Der Fotoapparat	liegt	auf dem Tisch/
		hinter der Vase.
Sie	sitzen	am Mittagstisch.

Verb

Nominativergänzung (Subjekt)

Wer? oder **Was?**

(lokale) Situativergänzung

Wo?

(lokale) Situativergänzung

4.7

Das alles	gehört	mir.
Die Knieschützer	passen	seinem Freund.

Verb

Nominativergänzung (Subjekt)

Wer? oder **Was?**

Dativergänzung

Wem?

Dativergänzung

Rocko	zeigt	seinem Freund	die Geschenke.
Er	schenkt	ihm	die Knieschützer.

Verb

Nominativergänzung (Subjekt)

Wer? oder **Was?**

Dativergänzung

Wem?

Akkusativergänzung

Wen? oder **Was?**

4.8

Der Reporter	berichtet		**vom**	Spiel.
Viele Leute	interessieren	sich	**für**	Tennis.
Ich	warte		**auf**	eine Antwort.
Ich	erinnere	dich	**an**	dein Versprechen.
Die Menschen	reden		**über**	mich.
Zu viel Fett	führt		**zu**	Krankheiten.
Viele Eltern	kümmern	sich nicht	**um**	ihre Kinder.

Verb

Nominativergänzung (Subjekt)

Wer? oder **Was?**

Präpositionalergänzung (mit <u>fester</u> Präposition)

Woran? **Worauf?**
Wofür? **Worüber?**
Worum? **Wovon?**
Wozu? **.....**

Präpositionalergänzung

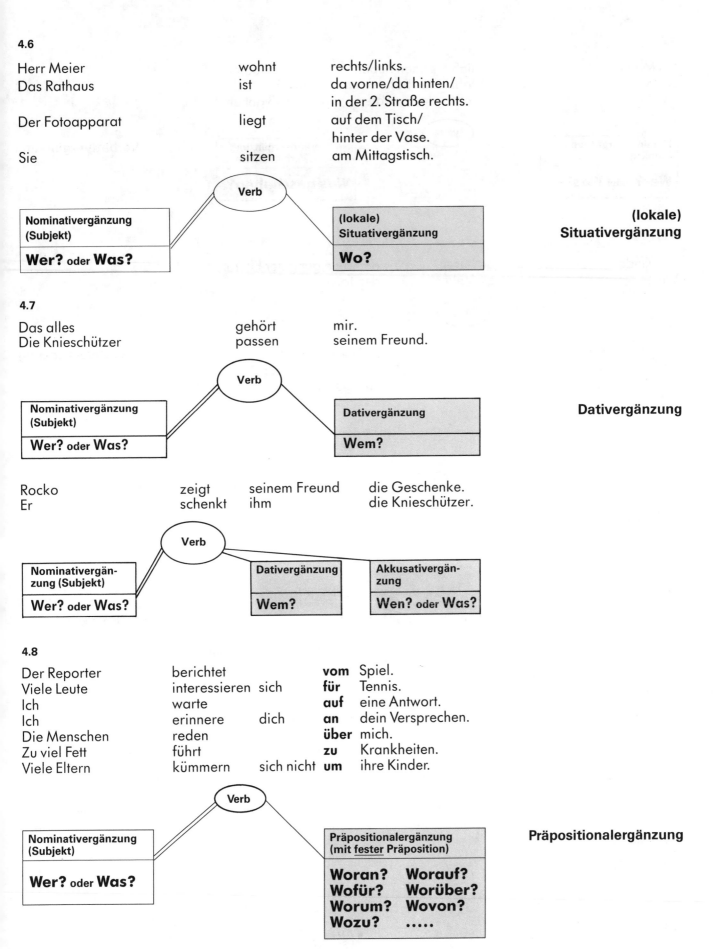

4.9

Ein Mann	ließ	seinen Buben	zu Fuß laufen.
Der Vater	läßt	den Sohn dann	reiten.
Du	läßt	deinen Vater	zu Fuß gehen?!

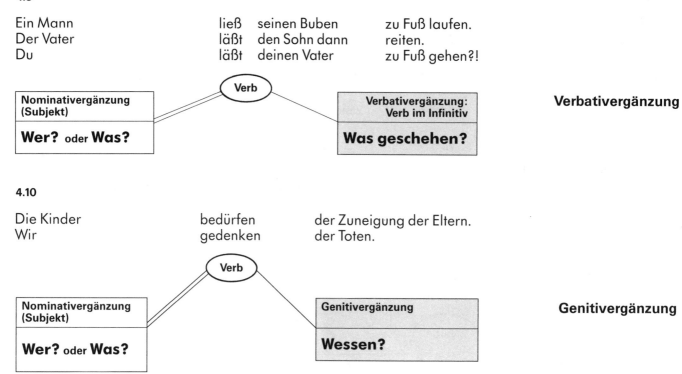

Verbativergänzung

4.10

| Die Kinder | bedürfen | der Zuneigung der Eltern. |
| Wir | gedenken | der Toten. |

Genitivergänzung

Diese Genitivergänzung wird bei nur wenigen Verben und fast nur in schriftlichen Texten verwendet.

5. Das Verb

5.1 Trennbare Verben   Nicht trennbare Verben   → Lehrbuch 1A, S. 59

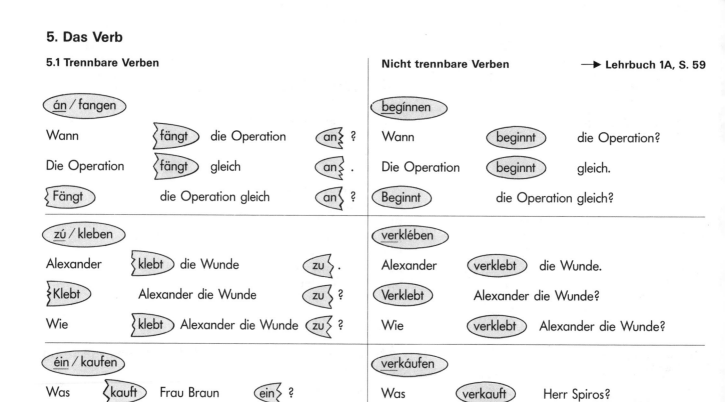

5.2 Die Konjugation

5.2.1 Indikativ Aktiv

① Präsens

→ **Lehrbuch 1A, S. 41, 71; Lehrbuch 1B, S. 16 – 17**

a) Verben

Infinitiv		kommen	sprechen	heißen	antworten		sein	haben
Singular			⚠	⚠			⚠	⚠
1. Person	ich	komm- e	sprech- e	heiß- e	antwort- e	-e	bin	habe
2. Person	du	komm- st	sprich- st	heiß- t	antwort- est	-(e)st	bist	hast
	Sie	komm- en	sprech- en	heiß- en	antwort- en	-en	sind	haben
3. Person	er sie es }	komm- t	sprich- t	heiß- t	antwort- et	-(e)t	ist	hat
Plural								
1. Person	wir	komm- en	sprech- en	heiß- en	antwort- en	-en	sind	haben
2. Person	ihr	komm- t	sprech- t	heiß- t	antwort- et	-(e)t	seid	habt
	Sie	komm- en	sprech- en	heiß- en	antwort- en	-en	sind	haben
3. Person	sie	komm- en	sprech- en	heiß- en	antwort- en	-en	sind	haben

Hilfsverben

○ Was willst du?
● Ich bring dich nach Hause.
○ Das kannst du nicht!
● Natürlich kann ich!
Ich will nach Hause!
○ Hör auf! Das darfst du nicht!

○ Können Sie nicht lesen?
Hier dürfen Sie nicht parken!
Ich kann hier nicht raus.

Was soll denn dieses Schreien?

Soll ich Ihnen einen Schlüssel runterwerfen?

Wir müssen schreien, sonst verstehen wir uns nicht!

b) Modalverben

Infinitiv		können	wollen	dürfen	mögen	sollen	müssen	
Singular								
1. Person	ich	kann- —	will- —	darf- —	mag- —	soll- —	muß- —	---
2. Person	du	kann- st	will- st	darf- st	mag- st	soll- st	muß- t	-st
	Sie	könn- en	woll- en	dürf- en	mög- en	soll- en	müss- en	-en
3. Person	er sie es	kann- —	will- —	darf- —	mag- —	soll- —	muß- —	---
Plural								
1. Person	wir	könn- en	woll- en	dürf- en	mög- en	soll- en	müss- en	-en
2. Person	ihr	könn- t	woll- t	dürf- t	mög- t	soll- t	müß- t	-t
	Sie	könn- en	woll- en	dürf- en	mög- en	soll- en	müss- en	-en
3. Person	sie	könn- en	woll- en	dürf- en	mög- en	soll- en	müss- en	-en

a) Regelmäßige Verben: Partizip II

Was	hat	Herr Rasch	ge-	mach	-t	?
Er	hat	die Sekretärin		**be**such	-t	.
Er	hat	ihr etwas		**er**zähl	-t	.
Sie	hat	Kaffee	ge-	koch	-t	.
Er	hat	mit der Sekretärin	ge-	flir**t**	-et	.
Sie	haben	einen Spaziergang	ge-	mach	-t	.
Er	hat	sie		fotograf**ier**	-t	.
Er	hat	auf Herrn Meinke	ge-	war**t**	-et	.
Er	hat	mit Herrn Meinke	ge-	re**d**	-et	.
Er	hat	einen Hamburger	ge-	hol	-t	.

„hab-en" → **Perfekt (Aktiv)** ← ge- **Stamm** -(e)t

b) Unregelmäßige Verben: Partizip II

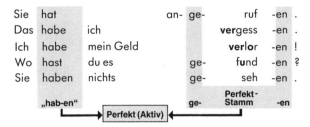

Sie	hat		an-	ge-	ruf	-en	.
Das	habe	ich		**ver**gess	-en	.
Ich	habe	mein Geld		**ver**lor	-en	!
Wo	hast	du es		ge-	fund	-en	?
Sie	haben	nichts		ge-	seh	-en	.

„hab-en" → **Perfekt (Aktiv)** ← ge- **Perfekt-Stamm** -en

c) Trennbare Verben – nicht trennbare Verben: Partizip II

Infinitiv	Partizip II				Infinitiv	Partizip II	
ein/kaufen	**ein**	-ge-	kauf	-t	be**suchen**	besuch	-t
an/rufen	**an**	-ge-	ruf	-en	er**zählen**	erzähl	-t
mit/nehmen	**mit**	-ge-	nomm	-en	ver**gessen**	vergess	-en
auf/stehen	**auf**	-ge-	stand	-en	ver**lieren**	verlor	-en
um/steigen	**um**	-ge-	stieg	-en			
kaputt/machen	**kaputt**	-ge-	mach	-t			
aus/räum/en	**aus**	-ge-	räum	-t			

PRÄFIX -ge- STAMM -{t / en}   STAMM -{t / en}

d) Verben auf „-ieren": Partizip II

Infinitiv	Partizip II
dikt**ier**en	dikt**ier** - t
fotograf**ier**en	fotograf**ier** - t
telefon**ier**en	telefon**ier** - t
	ier - t

e) Perfekt mit „haben" oder mit „sein"

fahren

Das Verb bezeichnet eine "Ortsveränderung".
↓
Das Verb hat das **Perfekt mit "sein":**

Beispiel: Horst hat im Supermarkt eingekauft.
Dann ist er nach Hause gefahren.

Das Perfekt mit „haben" – das Perfekt mit „sein"

Er	hat	sich	geschnitten	.	Er	ist	um acht Uhr aufgestanden .
Er	hat	Kaffee	getrunken	.	Er	ist	ins Bad gegangen .
Er	hat	Brötchen	gegessen	.	Er	ist	in die Stadt gefahren .
Er	hat	die Zeitung	gelesen	.	Er	ist	einmal umgestiegen .
Er	hat	den Bus	genommen	.	Sie	ist	schließlich gekommen .
Er	hat	einen Brief	geschrieben	.			
Sie	hat	keine Zeit	gehabt	.	Er	ist	müde gewesen .

„haben"   Partizip II   „sein"   Partizip II

change

Achtung! ⚠
Auch „bleiben" und „sein"
haben ein Perfekt mit „sein".

f) Die Konjugation: Perfekt

Singular		Perfekt mit „haben"		Perfekt mit „sein"	
1. Person	ich	habe	gesprochen	bin	gegangem
2. Person	du	hast	gesprochen	bist	gegangen
	Sie	haben	gesprochen	sind	gegangen
3. Person	er sie es }	hat	gesprochen	ist	gegangen
		PRÄSENS von „haben"	+ PARTIZIP II	PRÄSENS von „sein"	+ PARTIZIP II

Plural		Perfekt mit „haben"		Perfekt mit „sein"	
1. Person	wir	haben	gesprochen	sind	gegangen
2. Person	ihr	habt	gesprochen	seid	gegangen
	Sie	haben	gesprochen	sind	gegangen
3. Person	sie	haben	gesprochen	sind	gegangen
		PRÄSENS von „haben"	+ PARTIZIP II	PRÄSENS von „sein"	+ PARTIZIP II

---

③ Präteritum

→ Lehrbuch 1A, S. 59;
Lehrbuch 1B, S. 32 – 33

Präteritum von „sein" und „haben"

Infinitiv		haben		sein	
Singular					
1. Person	ich	ha-**tt**-e	-e	**war**-—	-—
2. Person	du	ha-**tt**-est	-est	**war**-st	-st
	Sie	ha-**tt**-en	-en	**war**-en	-en
3. Person	er sie es }	ha-**tt**-e	-e	**war**-—	-—
Plural					
1. Person	wir	ha-**tt**-en	-en	**war**-en	-en
2. Person	ihr	ha-**tt**-et	-et	**war**-t	-t
	Sie	ha-**tt**-en	-en	**war**-en	-en
3. Person	sie	ha-**tt**-en	-en	**war**-en	-en

-tt- → Präteritum-signal → war

Präteritum: unregelmäßige Verben

Die Römer eroberten ganz Gallien.

Das war um 50 vor Christus.

Sie schützten die Grenze zwischen Gallien und Germanien.

Plötzlich kamen die Germanen; sie sangen laut, marschierten nach Gallien und griffen die Römer an.

Sofort verließ die erste römische Legion das Lager.

Infinitiv		kommen	verlassen	fahren	verlieren	
Singular						
1. Person	ich	kam-—	verließ-—	fuhr-—	verlor-—	-—
2. Person	du	kam-st	verließ-t	fuhr-st	verlor-st	-st
	Sie	kam-en	verließ-en	fuhr-en	verlor-en	-en
3. Person	er sie es }	kam-—	verließ-—	fuhr-—	verlor-—	-—
Plural						
1. Person	wir	kam-en	verließ-en	fuhr-en	verlor-en	-en
2. Person	ihr	kam-t	verließ-t	fuhr-t	verlor-t	-t
	Sie	kam-en	verließ-en	fuhr-en	verlor-en	-en
3. Person	sie	kam-en	verließ-en	fuhr-en	verlor-en	-en

Präteritum → Präteritum-signal + Endung

Präteritum: regelmäßige Verben

DIE GESCHICHTE VON ANTEK PISTOLE
Ein Roman aus Margarinien

In einem kleinen Dorf in Margarinien lebte vor 70 Jahren Antek Pistole, der Besenbinder.

Er arbeitete Tag für Tag und machte Besen, sehr gute Besen.
Er verkaufte sie und kaufte sich für das Geld Brot, Wurst und eine Flasche Bier.

In dem kleinen Dorf lebten damals nur 311 Leute.
Bald hatten alle einen Besen von Antek.

Da mußte Antek in die große Stadt fahren…

Infinitiv		leben	arbeiten	müssen	
Singular					
1. Person	ich	leb-t-e	arbeit-et-e	muß-t-e	-e
2. Person	du	leb-t-est	arbeit-et-est	muß-t-est	-est
	Sie	leb-t-en	arbeit-et-en	muß-t-en	-en
3. Person	er sie es }	leb-t-e	arbeit-et-e	muß-t-e	-e
Plural					
1. Person	wir	leb-t-en	arbeit-et-en	muß-t-en	-en
2. Person	ihr	leb-t-et	arbeit-et-et	muß-t-et	-et
	Sie	leb-t-en	arbeit-et-en	muß-t-en	-en
3. Person	sie	leb-t-en	arbeit-et-en	muß-t-en	-en

Präteritum → Präteritum-signal + Endung

④ Plusquamperfekt

➔ **Lehrbuch 1B, S. 35**

ANTEK PISTOLE

Antek Pistole war ein Besenbinder.
Antek hatte das Besenbinden
von seinem Vater gelernt, und
der hatte es auch von seinem
Vater gelernt usw.

Das Gespräch der drei Gehenden

…und wenn der eine zu Ende
gesprochen hatte, sprach der
zweite, und dann der dritte,…
…sie waren aber keine Brüder,
waren nur Männer, die gingen,
gingen, gingen, nachdem sie
einander zufällig begegnet
waren.

		Plusquamperfekt mit „haben"		Plusquamperfekt mit „sein"	
Singular					
1. Person	ich	hatte	gelernt	war	begegnet
2. Person	du	hattest	gelernt	warst	begegnet
	Sie	hatten	gelernt	waren	begegnet
3. Person	er				
	sie	hatte	gelernt	war	begegnet
	es				
Plural					
1. Person	wir	hatten	gelernt	waren	begegnet
2. Person	ihr	hattet	gelernt	wart	begegnet
	Sie	hatten	gelernt	waren	begegnet
3. Person	sie	hatten	gelernt	waren	begegnet
		Präteritum von „haben" +	Partizip II	**Präteritum** von „sein" +	Partizip II

---

⑤ Futur I und Futur II

➔ **Lehrbuch 1B, S. 114 – 115**

Futur I: Formen

Infinitiv		kommen werden	
Singular			
1. Person	ich	werde	kommen
2. Person	du	wirst	kommen
	Sie	werden	kommen
3. Person	er		
	sie	wird	kommen
	es		
Plural			
1. Person	wir	werden	kommen
2. Person	ihr	werdet	kommen
	Sie	werden	kommen
3. Person	sie	werden	kommen
		„werd"- +	**INFINITIV PRÄSENS**
Ebenso:	ich	werde	**verlieren**

Futur II: Formen

		gekommen sein werden	
	ich	werde	gekommen sein
	du	wirst	gekommen sein
	Sie	werden	gekommen sein
	er		
	sie	wird	gekommen sein
	es		
	wir	werden	gekommen sein
	ihr	werdet	gekommen sein
	Sie	werden	gekommen sein
	sie	werden	gekommen sein
		„werd"- +	**INFINITIV PERFEKT**
	ich	werde	**verloren** haben

Futur I und Futur II: Bedeutung und Gebrauch

① Futur I

Die Einwohnerzahl wird
bis zum Jahr 2030 abnehmen.   *Prognose*

② Futur I

Sie wird Ihre Kette (wohl)
wiederfinden.

Er wird jetzt (wohl) keine Zeit
haben.   Vermutung → Zukunft/Gegenwart

Futur II

Die Einwohnerzahl wird
im Jahr 2030 abgenommen haben.   *Prognose*

Futur II

Die Kette wird in den Ausschnitt
gerutscht sein.

Er wird gestern (wohl) keine Zeit
gehabt haben.   Vermutung → Vergangenheit

③ Futur I

„Kommst du auch?" – „Ich werde kommen!"
„Kommt ihr auch?" – „Wir werden kommen!"   *Versprechen*

④ Futur I

„Du wirst (jetzt sofort) kommen!"
„Ihr werdet das bis morgen auswendig lernen!"   *Befehl*

5.2.2 Imperativ

➔ **Lehrbuch 1B, S. 84, 88**

Formen

Infinitiv	geben	nehmen	machen	sein	haben
Singular					
2. Person	gib!	nimm!	mach!	sei!	hab!
	geben Sie!	nehmen Sie!	machen Sie!	seien Sie!	haben Sie!
Plural					
1. Person	geben wir!	nehmen wir!	machen wir!	seien wir!	haben wir!
2. Person	gebt!	nehmt!	macht!	seid!	habt!
	geben Sie!	nehmen Sie!	machen Sie!	seien Sie!	haben Sie!

Bedeutung und Gebrauch

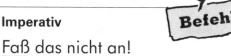

Imperativ   *Befehl*

Faß das nicht <u>an</u>!
<u>Sitz</u> ruhig!
<u>Nimm</u> das nicht in den Mund!
<u>Stell</u> das sofort wieder <u>weg</u>!
<u>Paß auf</u>!

<u>Zeichnen Sie</u> vier Quadrate!
<u>Schneiden Sie</u> bitte die Figur <u>aus</u>!   *Anleitung/Anweisung*

Geben Sie dem Chef
bitte Feuer!

Gib dem Chef
Feuer!

Befehl/Aufforderung

① Der Konjunktiv mit „würd-"

Formen

Infinitiv		geben	
Singular			
1. Person	ich	würd- e	geben
2. Person	du	würd- est	geben
	Sie	würd- en	geben
3. Person	er sie es	würd- e	geben
Plural			
1. Person	wir	würd- en	geben
2. Person	ihr	würd- et	geben
	Sie	würd- en	geben
3. Person	sie	würd- en	geben
	würd-	**+ INFINITIV**	

Bedeutung und Gebrauch

Würden Sie mir bitte Feuer geben?

Höfliche Bitte

Konjunktiv (im Fragesatz)

Würden Sie mir bitte Feuer geben?
Würdest du mich bitte mitnehmen?
Könntest du mal eben kommen?
Könnten Sie mir das erklären?

Sie sollten auf jeden Fall die verkehrsreichen Tage meiden.
Du solltest einmal zum Arzt gehen.

Rat

---

② Konjunktiv II der Modalverben: Formen

Infinitiv		können	dürfen	müssen	mögen	Endung
Singular						
1. Person	ich	könn- t- e	dürf- t- e	müß- t- e	möch- t- e	-e
2. Person	du	könn- t- est	dürf- t- est	müß- t- est	möch- t- est	-est
	Sie	könn- t- en	dürf- t- en	müß- t- en	möch- t- en	-en
3. Person	er sie es	könn- t- e	dürf- t- e	müß- t- e	möch- t- e	-e
Plural						
1. Person	wir	könn- t- en	dürf- t- en	müß- t- en	möch- t- en	-en
2. Person	ihr	könn- t- et	dürf- t- et	müß- t- et	möch- t- et	-et
	Sie	könn- t- en	dürf- t- en	müß- t- en	möch- t- en	-en
3. Person	sie	könn- t- en	dürf- t- en	müß- t- en	möch- t- en	-en

UMLAUT – „t" – ENDUNG

⚠
ich soll - t - e
ich woll - t - e

=

Indikativ Präteritum

Bedeutung und Gebrauch

Wunsch/Bitte

Was möchten Sie?
Was möchtest du?

Ich möchte ...

Die Zahl könnte noch weiter abnehmen.

Die Zahl dürfte nach den Prognosen steigen.

800 Mark müßten für Essen und Trinken reichen.

Vermutung

unsicher

etwas unsicher

fast sicher

„Die Zahl steigt" → **sicher**

Das Passiv: Form

Der Küchenchef erklärt:

Wie	wird	Kartoffelpüree	bereitet?
Die Kartoffel	wird		geschält.
Sie	wird	in kleine Stücke	geschnitten.
Die Kartoffeln	werden	in Salzwasser	gekocht.
Sie	werden	durch eine Kartoffelpresse	gepreßt.
Heiße Milch	wird	über die Kartoffeln	gegossen.

werd- + **PARTIZIP II**

→ **PASSIV** ←

Das Passiv: Präsens

Infinitiv			gesehen werden	gekocht werden	vorbereitet werden
Singular					
1. Person	ich	werd- e	gesehen	—	vorbereitet
2. Person	du	wir - st	gesehen	—	vorbereitet
	Sie	werd- en	gesehen	—	vorbereitet
3. Person	er sie es	wird -	gesehen	gekocht	vorbereitet
Plural					
1. Person	wir	werd- en	gesehen	—	vorbereitet
2. Person	ihr	werd- et	gesehen	—	vorbereitet
	Sie	werd- en	gesehen	—	vorbereitet
3. Person	sie	werd- en	gesehen	gekocht	vorbereitet

PRÄSENS von „werden" + **P A R T I Z I P   I I**

Passiv ◄─► Aktiv: Bedeutung

Passiv

Die Kartoffel	wird	geschält.
Sie	wird	geschnitten.
Die Kartoffeln	werden	gekocht.
Sie	werden	gepreßt.

(**Verb im PASSIV**)

NOMINATIV-ERGÄNZUNG

Die Kartoffel	wird geschält.

A K T I O N

Aktiv

Der Koch	schält	die Kartoffel.
Er	schneidet	sie.
Er	kocht	die Kartoffeln.
Er	preßt	sie.

(**Verb im AKTIV**)

NOMINATIV-ERGÄNZUNG **AKKUSATIV-ERGÄNZUNG**

Der Koch	schält	die Kartoffel.

AKTEUR **A K T I O N**

Passiv: Bedeutung und Gebrauch

Die Kartoffel <u>wird</u> <u>geschält</u>.
Sie <u>wird</u> in kleine Stücke <u>geschnitten</u>.
Die Kartoffeln <u>werden</u> <u>gekocht</u>.
Sie <u>werden</u> <u>gepreßt</u>.
Heiße Milch <u>wird</u> über die Kartoffeln <u>gegossen</u>.

Erklärung/Anleitung

Passiv mit „Agens"-Nennung (selten)

Die	Kartoffel	wird	**vom** (= **von** dem) Koch	geschält.
Das	Essen	wird	**vom** (= **von** dem) Ober	serviert.
Die	Wörter	werden	**von** der Lehrerin	erklärt.

AKTEUR/AKTEURIN („Agens")

Aktiv mit Indefinitivpronomen

Der Küchenchef erklärt:

Wie	bereitet	man	Kartoffelpüree?
Man	schält	die Kartoffeln.	
Man	schneidet	sie in kleine Stücke.	
Man	kocht	die Kartoffeln in Salzwasser.	
Man	preßt	sie durch eine Kartoffelpresse.	
Man	gießt	heiße Milch über die Kartoffeln.	

? ?
? **Man** ?   (**Verb im AKTIV**)
? ?

Passiv bei Modalverben: Klammer

Der Kopierer	muß	zuerst	eingeschaltet	werden.
Der Kontrast	kann	mit dem Regler	eingestellt	werden.
Der Belichtungsregler	muß	nach rechts	geschoben	werden.
Die Vorlagen	müssen	auf die Glasplatte	gelegt	werden.
Die Kopien	können	jetzt	gemacht	werden.

(**Modalverb im AKTIV**)   (**Vollverb im INFINITIV PASSIV**)

PARTIZIP II + werden

Passiv im Nebensatz: Klammer

Wir achten darauf,	**daß** das Püree langsam	erwärmt	**wird.**
Es ist wichtig,	**daß** die Garzeit nicht	überschritten	**wird.**
Auf der Packung steht,	**daß** das Püree beliebig	variiert	**werden kann.**
Der Koch sagt,	**daß** die Milch leicht	gesalzen	**werden kann.**

PARTIZIP II + werd-

PARTIZIP II + werd- + MODALVERB

5.2.5 Reflexive Verben (mit Reflexivpronomen)

→ Lehrbuch 1B, S. 103

„Der Deutsche schimpft nicht, er ärgert **sich**."
„Der Deutsche weint nicht, er schämt **sich**."
„Die Deutschen essen nicht, sie ernähren **sich**."
„Die Deutschen genießen nicht, sie plagen **sich**."

Infinitiv	sich ärgern		
Singular			
1. Person	ich	ärgere	mich
2. Person	du	ärgerst	dich
	Sie	ärgern	**sich**
3. Person	er sie es	ärgert	**sich** ⚠
Plural			
1. Person	wir	ärgern	uns
2. Person	ihr	ärgert	euch
	Sie	ärgern	**sich**
3. Person	sie	ärgern	**sich** ⚠

mich / dich → = **Personalpronomen** (→ 8B1)

uns / euch → = **Personalpronomen** (→ 8B1)

Ebenso: sich freuen, sich schämen, sich ernähren, sich plagen…

5.2.6 Stammformen der unregelmäßigen Verben

Lehrbuch 1B, S. 127 – 128
Arbeitsbuch 1B, S. 27 – 30

---

6. Das Substantiv

6.1 Das Genus

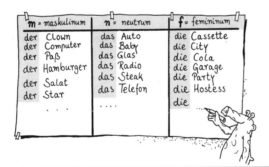

→ Lehrbuch 1A, S. 39

m = maskulinum — der Clown, der Computer, der Paß, der Hamburger, der Salat, der Star . . .

n = neutrum — das Auto, das Baby, das Glas, das Radio, das Steak, das Telefon . . .

f = femininum — die Cassette, die City, die Cola, die Garage, die Party, die Hostess, die

---

6.2 Der unbestimmte Artikel – der bestimmte Artikel
→ Lehrbuch 1A, S. 39 – 40

Das ist
ein Clown.

Der Clown
heißt Pippo.

Das ist
ein Baby.

Das Baby
ist drei Monate alt.

Das ist
eine Hostess.

Die Hostess
spricht Deutsch,
Englisch und
Französisch.

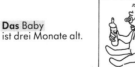

6.3 „ein-" – „kein-" → Lehrbuch 1A, S. 42

„Was ist das?
Ist das **ein** Bild?" –

„Nein, das ist **kein** Bild,

das ist **eine** Landkarte!"

151

Typ 1:

Singular	maskulinum **der** Arm	neutrum **das** Bein	maskulinum **der** Stuhl	femininum **die** Hand
Plural	die Arm-**e** die -**e**	die Bein-**e** die -**e**	die Stühl-**e** die -**e**	die Händ-**e** die -**e**

Typ 3:

Singular	maskulinum **der** Finger	neutrum **das** Essen -er, -el, -en	(maskulinum) **der** Vat|er|	(femininum) **die** Mutt|er|
Plural	die Finger-— die -—	die Essen-— die -—	die Väter-— die ¨ -—	die Mütter-— die -—

Typ 2a:

Singular	femininum **die** Lipp-e -e	(maskulinum) **der** Nam-e ⚠	(neutrum) **das** Aug-e ⚠
Plural	die Lippe-**n** die -**n**	die Name-**n** die -**n**	die Auge-**n** die -**n**

Typ 4:

Singular		neutrum		(maskulinum)
	das Bild	**das** Glas	1silbig	**der** Mann ⚠
Plural	die Bild-**er** die -**er**	die Gläs-**er** die ¨ -**er**		die Männ-**er** die ¨ -**er**

Typ 2b:

Singular	femininum **die** Wohnung Konsonant	(maskulinum) **der** Schmerz ⚠	(neutrum) **das** Ohr ⚠
Plural	die Wohnung-**en** die -**en**	die Schmerz-**en** die -**en**	die Ohr-**en** die -**en**

Typ 5:

Singular	maskulinum **der** Clown	neutrum **das** Steak Fremdwort	femininum **die** Party
Plural	die Clown-**s**	die Steak-**s** die -**s**	die Party-**s**

6.5 Deklination

① Artikel und Substantiv

→ Lehrbuch 1A, S. 103

	maskulinum	neutrum	femininum
Singular			
Nominativ	der /ein-— Tisch	das /ein-— Buch	die /ein- e Vase
Akkusativ	den /ein- en Tisch	das /ein-— Buch	die /ein- e Vase
Dativ	dem /ein- em Tisch	dem /ein- em Buch	der /ein- er Vase
Genitiv	des /ein-es Tisches	des /ein-es Buches	der /ein-er Vase
Plural			
Nominativ	die /— Tische	die /— Bücher	die /— Vasen
Akkusativ	die /— Tische	die /— Bücher	die /— Vasen
Dativ	den /— Tischen	den /— Büchern	den /— Vasen
Genitiv	der /— Tische	der /— Bücher	der /— Vasen

Genauso wie ein Tisch: **k**ein Tisch, ein Buch: **k**ein Buch, eine Vase: **k**eine Vase

② Demonstrativpronomen + Substantiv

→ **Lehrbuch 1B, S. 55**

	maskulinum	neutrum	femininum
Singular			
Nominativ	dies-er Rock	dies-es Kleid	dies-e Bluse
Akkusativ	dies-en Rock	dies-es Kleid	dies-e Bluse
Dativ	dies-em Rock	dies-em Kleid	dies-er Bluse
Genitiv	dies-es Rockes	dies-es Kleides	dies-er Bluse
Plural			
Nominativ	dies-e Röcke	dies-e Kleider	dies-e Blusen
Akkusativ	dies-e Röcke	dies-e Kleider	dies-e Blusen
Dativ	dies-en Röcken	dies-en Kleidern	dies-en Blusen
Genitiv	dies-er Röcke	dies-er Kleider	dies-er Blusen

dér (betont) = dieser   dás (betont) = dieses   díe (betont) = diese

- ● Wie gefällt dir **dieses Kleid?**
- ○ **Welches?**
- ● **Dás da,** das grüne.

- ● **Was für einen Rock** möchtest du, **einen blauen** oder **einen grauen?**
- ○ **Einen blauen.**

③ Fragepronomen + Substantiv

→ **Lehrbuch 1B, S. 55**

	maskulinum	neutrum	femininum
Singular			
Nominativ	welch-er Rock	welch-es Kleid	welch-e Bluse
Akkusativ	welch-en Rock	welch-es Kleid	welch-e Bluse
Dativ	welch-em Rock	welch-em Kleid	welch-er Bluse
Genitiv	welch-es Rockes	welch-es Kleides	welch-er Bluse
Plural			
Nominativ	welch-e Röcke	welch-e Kleider	welch-e Blusen
Akkusativ	welch-e Röcke	welch-e Kleider	welch-e Blusen
Dativ	welch-en Röcken	welch-en Kleidern	welch-en Blusen
Genitiv	welch-er Röcke	welch-er Kleider	welch-er Blusen

④ Possessivpronomen + Substantiv

→ **Lehrbuch 1A, S. 118**

Singular			
Nominativ	mein -— Koffer	mein -— Buch	mein - e Tasche
Akkusativ	mein - en Koffer	mein -— Buch	mein - e Tasche
Dativ	mein - em Koffer	mein - em Buch	mein - er Tasche
Genitiv	mein - es Koffers	mein - es Buches	mein - er Tasche
Plural			
Nominativ	mein - e Koffer	mein - e Bücher	mein - e Taschen
Akkusativ	mein - e Koffer	mein - e Bücher	mein - e Taschen
Dativ	mein - en Koffern	mein - en Büchern	mein - en Taschen
Genitiv	mein - er Koffer	mein - er Bücher	mein - er Taschen

Verglei-chen Sie: der / ein -— } Koffer   das / ein -— } Buch   die / ein - e } Tasche

⑤ **Adjektiv + Substantiv**

Arbeitsbuch 1B, S. 154

153

7. Das Adjektiv

7.1 Das Adjektiv: prädikativer Gebrauch – attributiver Gebrauch

➤ Lehrbuch 1B, S. 58

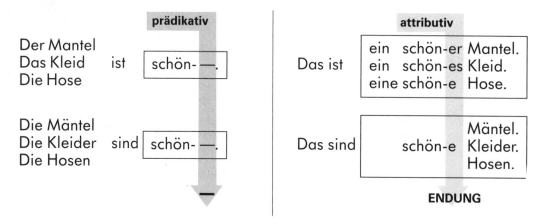

7.2 Das Adjektiv: Deklination

➤ Lehrbuch 1B, S. 56 – 58

① **Variante A: Bestimmter Artikel + Adjektiv + Substantiv**

	maskulinum	neutrum	femininum
Singular			
Nominativ	der blau-e Mantel	das rot-e Kleid	die grün-e Hose
Akkusativ	den blau-en Mantel	das rot-e Kleid	die grün-e Hose
Dativ	dem blau-en Mantel	dem rot-en Kleid	der grün-en Hose
Genitiv	des blau-en Mantels	des rot-en Kleides	der grün-en Hose
Plural			
Nominativ	die blau-en Mäntel	die rot-en Kleider	die grün-en Hosen
Akkusativ	die blau-en Mäntel	die rot-en Kleider	die grün-en Hosen
Dativ	den blau-en Mänteln	den rot-en Kleidern	den grün-en Hosen
Genitiv	der blau-en Mäntel	der rot-en Kleider	der grün-en Hosen

Genauso: Bestimmter Artikel + Adjektiv

② **Variante B: Unbestimmter Artikel + Adjektiv + Substantiv**

	maskulinum	neutrum	femininum
Singular			
Nominativ	ein blau-er Mantel	ein rot-es Kleid	eine grün-e Hose
Akkusativ	einen blau-en Mantel	ein rot-es Kleid	eine grün-e Hose
Dativ	einem blau-en Mantel	einem rot-en Kleid	einer grün-en Hose
Genitiv	eines blau-en Mantels	eines rot-en Kleides	einer grün-en Hose
Plural			
Nominativ	— blau-e Mäntel	— rot-e Kleider	— grün-e Hosen
Akkusativ	— blau-e Mäntel	— rot-e Kleider	— grün-e Hosen
Dativ	— blau-en Mänteln	— rot-en Kleidern	— grün-en Hosen
Genitiv	— blau-er Mäntel	— rot-er Kleider	— grün-er Hosen

Genauso: Unbestimmter Artikel + Adjektiv

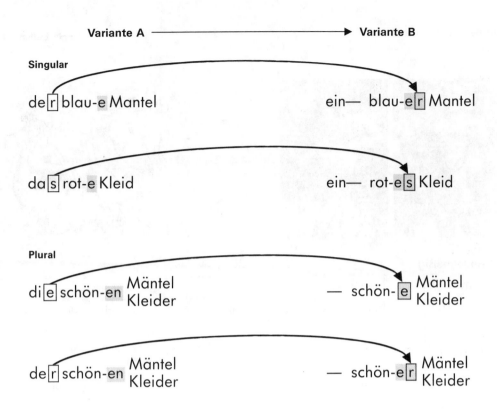

Variante A ──────────────→ **Variante B**

Singular

de[r] blau-e Mantel → ein— blau-e[r] Mantel

da[s] rot-e Kleid → ein— rot-e[s] Kleid

Plural

di[e] schön-en Mäntel/Kleider → — schön-[e] Mäntel/Kleider

de[r] schön-en Mäntel/Kleider → — schön-e[r] Mäntel/Kleider

③ **Variante C: Possessivpronomen + Adjektiv + Substantiv**

	maskulinum	neutrum	femininum	
Singular				
Nominativ	dein blau-er Mantel	dein rot-es Kleid	deine grün-e Hose	} = **Variante B**
Akkusativ	deinen blau-en Mantel	dein rot-es Kleid	deine grün-e Hose	
Dativ	deinem blau-en Mantel	deinem rot-en Kleid	deiner grün-en Hose	
Genitiv	deines blau-en Mantels	deines rot-en Kleid(e)s	deiner grün-en Hose	
Plural				
Nominativ	deine blau-en Mäntel	deine rot-en Kleider	deine grün-en Hosen	} = **Variante A**
Akkusativ	deine blau-en Mäntel	deine rot-en Kleider	deine grün-en Hosen	
Dativ	deinen blau-en Mänteln	deinen rot-en Kleidern	deinen grün-en Hosen	
Genitiv	deiner blau-en Mäntel	deiner rot-en Kleider	deiner grün-en Hosen	

Genauso: „kein-" + Adjektiv + Substantiv

④ **Variante D: Adjektiv + Substantiv**

	maskulinum	neutrum	femininum	
Singular				
Nominativ	— blau-er Mantel	— rot-es Kleid	— grün-e Hose	
Akkusativ	— blau-en Mantel	— rot-es Kleid	— grün-e Hose	
Dativ	— blau-em Mantel	— rot-em Kleid	— grün-er Hose	
Genitiv	— blau-en Mantels	— rot-en Kleid(e)s	— grün-er Hose	
Plural				
Nominativ	— blau-e Mäntel	— rot-e Kleider	— grün-e Hosen	} = **Variante B**
Akkusativ	— blau-e Mäntel	— rot-e Kleider	— grün-e Hosen	
Dativ	— blau-en Mänteln	— rot-en Kleidern	— grün-en Hosen	
Genitiv	— blau-er Mäntel	— rot-er Kleider	— grün-er Hosen	

Formen

① Regelmäßig

POSITIV	langsam		klein		schön		
KOMPARATIV	langsam- er		klein- er		schön- er		-er
SUPERLATIV	der das die	langsam- st- e	der das die	klein- st- e	der das die	schön- st- e	-st
	am	langsam- st- en	am	klein- st- en	am	schön- st- en	-st

② Mit Umlaut

POSITIV	stark		groß		jung		
KOMPARATIV	stärk- er		größ- er		jüng- er		-er
SUPERLATIV	der das die	stärk- st- e	der das die	größ- t- e	der das die	jüng- st- e	-st
	am	stärk- st- en	am	größ- t- en	am	jüng- st- en	-st

UMLAUT

③ Mit Umlaut und dentalem Stammauslaut

POSITIV	alt		kurz		
KOMPARATIV	ält- er		kürz- er		-er
SUPERLATIV	der das die	ält- est- e	der das die	kürz- est- e	-est
	am	ält- est- en	am	kürz- est- en	-est

④ Unregelmäßig

POSITIV	gut		viel		gern(e)	
KOMPARATIV	besser		mehr		lieber	
SUPERLATIV	der das die	beste	der das die	meiste	der das die	liebste
	am	besten	am	meisten	am	liebsten

Gebrauch

Der Vergleich (1)

1. Rocka hat   (genau)so große Füße   wie Rocko.
   Sie hat einen (genau)so großen Pokal   wie er.

2. Rocko ist   (genau)so blau   wie Rocka.
   Er ist   (genau)so schön   wie sie.

3. Rocka kann   (genau)so schön singen wie Rocko.
   Sie freut sich (genau)so sehr   wie er.

.....(genau)so | POSITIV | → wie.....

Der Vergleich (2)

1. Die Bundesrepublik hat mehr   Einwohner   als die Schweiz.
   Die Schweiz   hat weniger Einwohner   als Österreich.

2. Österreich   ist größer   als die Schweiz.
   Die Schweiz ist kleiner   als die Bundes-
                    republik.

3. In der Schweiz wächst die Bevölkerung nicht schneller als in Österreich.
   In der BRD   wächst die Bevölkerung nicht langsamer als in der
                                  Schweiz.

..... | KOMPARATIV | → als.....

Der Vergleich (3)

1. Rocka ist   das   schönste Mädchen (**von allen**).
               das **aller**schönste Mädchen.
   Sie hat   die   längste   Nase (**von allen**).
                allerlängste Nase.

2. Rocka ist   die   schönste.   (**von allen**).
             die **aller**schönste.
             am   schönsten.   (**von allen**).
             am **aller**schönsten.

3. Rocko kann am   längsten   (**von allen**) nichts tun.
           am **aller**längsten   nichts tun.

| SUPERLATIV |

Der Vergleich (4): Besonderheiten

1. Wer hat   die bessere Figur (von den beiden)?
   Mir gefällt die jüngere besonders gut.
   | KOMPARATIV | (ohne „als")

⚠

2. Der Mann ist   (viel) **zu** dick.
   Er hat   einen (viel) **zu** dicken Kopf.

                 zu | POSITIV |

3. junge   Menschen: circa 15–30 Jahre
   jüngere Menschen (= ziemlich junge Menschen): ca. 30–45 Jahre
   ältere Menschen (= ziemlich alte Menschen): ca. 45–65 Jahre
   alte   Menschen): circa 65–X Jahre

| KOMPARATIV | (ohne „als")

---

8. Personalpronomen
→ Lehrbuch 1A, S. 116

8.1 Das Personalpronomen

	Nominativ	Akkusativ	Dativ
Singular			
1. Person	ich	mich	mir
2. Person	du	dich	dir
	Sie	Sie	Ihnen
3. Person	er	ihn	ihm
	sie	sie	ihr
	es	es	ihm
Plural			
1. Person	wir	uns	uns
2. Person	ihr	euch	euch
	Sie	Sie	Ihnen
3. Person	sie	sie	ihnen
	Wer?	**Wen?**	**Wem?**

und Possessivpronomen
→ Lehrbuch 1A, S. 117

8.2 Das Possessivpronomen

Personal-pronomen	Possessivpronomen + Substantiv		
	maskulinum	**neutrum**	**femininum**
ich	mein - — Koffer	mein - — Buch	mein - e Tasche
du	dein - — Koffer	dein - — Buch	dein - e Tasche
Sie	Ihr - — Koffer	Ihr - — Buch	Ihr - e Tasche
er	sein - — Koffer	sein - — Buch	sein - e Tasche
sie	ihr - — Koffer	ihr - — Buch	ihr - e Tasche
es	sein - — Koffer	sein - — Buch	sein - e Tasche
wir	unser - — Koffer	unser - — Buch	uns(e)r - e Tasche
ihr	euer - — Koffer	euer - — Buch	eu(e)r - e Tasche
Sie	Ihr - — Koffer	Ihr - — Buch	Ihr - e Tasche
sie	ihr - — Koffer	ihr - — Buch	ihr - e Tasche
Vergleichen Sie:	ein - — Koffer	ein - — Buch	ein - e Tasche

Deklination → S. 155

→ Lehrbuch 1A, S. 105, 106, 119

9.1 mit dem Akkusativ

	Wir sind **bis** einen Tag nach Weihnachten in Berlin.
	Der Einbrecher ist **durch** das Fenster in die Wohnung gestiegen.
	Wir brauchen 800 Mark **für** die Miete.
	Ohne einen Angelschein ist Angeln verboten.
	Das Auto fährt **gegen** die Wand.
	Wer schaut da **um** die Ecke?

> bis durch für
> ohne gegen um
>
> **AKKUSATIV**

9.2 mit dem Dativ

	Mustafa kommt aus **der** Türkei.
	Er war bei**m** (= bei dem) Arzt.
	Der Supermarkt liegt gegenüber **dem** Rathaus.
	Fährst du mit **uns** nach Italien? Wir fahren mit **dem** Auto.
	Der Tannenbaum ist mit Kerzen geschmückt.
	Er ist nach **dem** Frühstück in die Stadt gefahren.
	Er sucht seinen Ring schon seit **einer** Stunde.
	Er kommt vo**m** (= von dem) Arzt.
	Die Ferien dauern vo**m** achtzehnten Juni .... bis zu**m** dritten August.
	Der Fuchs läuft zu**m** (= zu dem) Raben.

> **DATIV**
> aus bei gegenüber mit nach seit von zu

9.3 Wechselpräpositionen

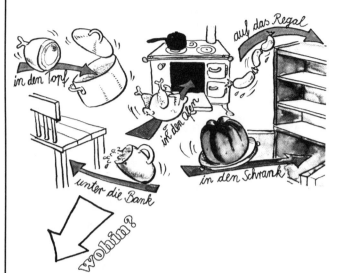

Wohin tut/stellt sie das Essen? –

Sie tut/stellt das Essen .....

..... in **den** Topf.

..... an **die** Wand.

..... auf **den** Tisch.

..... unter **die** Bank.

..... vor **den** Mann.

..... hinter **die** Tür.

..... neben **das** Bett.

..... zwischen **die** Bücher.

Wo ist/steht das Essen?

Das Essen ist/steht .....

..... im (= in **dem**) Topf.

..... an **der** Wand.

..... auf **dem** Tisch.

..... unter **der** Bank.

..... vor **dem** Mann.

..... hinter **der** Tür.

..... neben **dem** Bett.

..... zwischen **den** Bücher

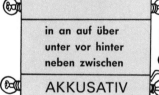

> in an auf über
> unter vor hinter
> neben zwischen
>
> **AKKUSATIV**

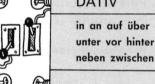

> **DATIV**
>
> in an auf über
> unter vor hinter
> neben zwischen

10. Wortbildung

➤ Lehrbuch 1B, S. 124 – 125

10.1 Substantive
10.1.1 Substantive aus SUBSTANTIV + SUBSTANTIV

der Tennis/platz...   ...ist ein Platz, auf dem Tennis gespielt wird.
die Radio/reportage...   ...ist eine Reportage, die man im Radio hören kann.
das Motor/rad...   ...ist ein (Fahr-)Rad mit Motor.
die Freiheit/s/strafe... ...ist eine Strafe, bei der man seine Freiheit verliert.
der Zeitung/s/artikel... ...ist ein Artikel (Bericht) in einer Zeitung.
das Nahrung/s/mittel... ...ist ein „Mittel" für die Ernährung.

10.1.2 Substantive aus ADJEKTIV + -heit/-keit

die Schön/heit
die Krank/heit

die Flüssig/keit
die Möglich/keit
die Ungerechtig/keit

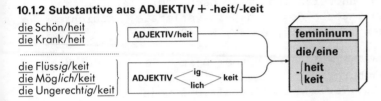

10.1.3 Substantive aus VERB + -ung

die Werb/ung
die Kleid/ung
die Entfern/ung
die Erfrisch/ung
die Bestraf/ung

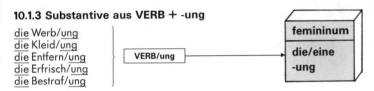

10.1.4 Substantive aus VERB + -er

der Zuschau/er
der Spiel/er
der Erzieh/er
der Verkäuf/er

10.1.5 Substantive aus SUBSTANTIV + -in

die Zuschauer/in
die Spieler/in
die Erzieher/in
die Verkäufer/in
die König/in

10.2 Adjektive
10.2.1 Adjektive aus SUBSTANTIV + -lich/-ig

natür/lich
gefähr/lich   SUBSTANTIV/lich
beruf/lich

gift/ig   SUBSTANTIV/ig
lust/ig

10.2.2 Adjektive aus SUBSTANTIV + -los/-frei/-reich/-voll

geschmack/los = ohne Geschmack
unfall/frei   = ohne Unfall
zahl/reiche   = viele
phantasie/voll = mit (viel) Phantasie

SUBSTANTIV/‹-los / -reich / -frei / -voll›

10.2.3 Adjektive aus un- + ADJEKTIV/PARTIZIP

freundlich ⟷ un/freundlich   gebügelt ⟷ un/gebügelt
kultiviert ⟷ un/kultiviert   bekannt ⟷ un/bekannt
gemütlich ⟷ un/gemütlich   tolerant ⟷ in/tolerant ⚠

10.3 Mehrfache Derivation

frisch ➝ er/frisch/en ➝ die Erfrisch/ung
fern   ➝ ent/fern/en ➝ die Entfern/ung
größer ➝ ver/größer/n ➝ die Vergrößer/ung
besser ➝ ver/besser/n ➝ die Verbesser/ung

ADJEKTIV ➝ VERB ➝ SUBSTANTIV

Quellennachweis für Texte und Abbildungen

S. 10   Foto: Angelika Sulzer, Wuppertal

S. 18f. Text und Zeichnung "Die Geschichte von Tante Mila und dem Patentbesenver-
         käufer" aus: Ursula Wölfel, "Dreißig Geschichten von Tante Mila", Hoch-
         Verlag, Düsseldorf 1977, S. 46-47

S. 20,   Text: Klaus Haase, München; Foto: Barbara A. Stenzel, München
Ü5, 2

S. 21   Foto: Bjarne Geiges, München

S. 26   Rudolf Otto Wiemer, "starke und schwache verben", aus: "Beispiele zur
         deutschen Grammatik", © Wolfgang Fietkau Verlag, Berlin 1971, S. 18-19

S. 31   Zeichnung und zusammengefaßter und nacherzählter Text nach: "Die letzte
ff.   Geschichte von Tante Mila und den Patentbesen" und "Die vorletzte Geschichte
         von Tante Mila und den Patentbesen", s. S. 18, ebda., S. 49

S. 40   Foto: Bjarne Geiges, München

S. 45   Foto Nr. 5: Dieter Kramer, Berlin; alle anderen Fotos: Bjarne Geiges, München

S. 46   Zeichnung u.: Dietmar Lochner, Hamburg

S. 50   Ausschnitt Wohnungsmietvertrag: Hg. Verlagsgesellschaft des Deutschen
         Mieterbundes mbH, Köln

S. 54   Marie Marcks, Zeichnung aus: Süddeutsche Zeitung vom 28.2.85

S. 56   Liebermann, Zeichnung aus: ADAC Motorwelt 6/86, München, S. 158

S. 57   Verkehrsskizzen: Heinrich Vogel Verlag, München

S. 59   Zeichnung u. aus: Antoine de Saint-Exupéry, "Der Kleine Prinz", Karl Rauch
         Verlag, Düsseldorf

S. 68   Verkehrsskizze: Heinrich Vogel Verlag, München

S. 71   Lückentext nach Carlo Manzoni, "Der Schlüssel", aus: "100 x Signor
         Veneranda", © by Albert Langen Georg Müller Verlag, München

S. 75   Rezept aus: Georgina Regas (Hg.), "Die 30 besten Suppenrezepte aus Groß-
         mutters Küche", illustriert von Juan Selva, Rolf Goertz Verlag, Erkelenz

S. 79   Kartenskizze: Gerd Oberländer, München

S. 83   Richard Göbel, "Frauen", aus: "Deutsch mit Fortgeschrittenen", Scriptor
         Verlag, Frankfurt am Main ²1986, S. 45

S. 85   Fotos: Bjarne Geiges, München

S. 87   Texte leicht gekürzt aus: "Das Neue Fischer-Lexikon in Farbe"; "Dresden":
         Bd. 2, S. 1961; "Salzburg": Bd. 8, S. 5225; "Zürich": Bd. 10, S. 6661;
         "Frankfurt": Bd. 2, S. 1919 f.; © 1975, 1976, 1979, Lexikographisches
         Institut, München. Abdruck mit Genehmigung der Fischer Taschenbuch Verlag
         GmbH, Frankfurt am Main

S. 94   Lückentext zu Volker Erhardt, "Links ist linker als rechts", aus: Rudolf
         Otto Wiemer (Hg.), "Bundesdeutsch, Lyrik zur Sache Grammatik", Hammer
         Verlag, Wuppertal 1974

S. 95   Fotos o. (2) und mi. re. (2): Bjarne Geiges, München
         Fotos mi. li.: Angelika Sulzer, Wuppertal (Berge), Sabine Wenkums, München
         (Meer)
         Fotos u.: Süddeutscher Verlag, Bilderdienst, München

S. 98/   Zeichnungen: Priscilla Barrett, aus: Desmond Morris, "Der Mensch, mit dem
99   wir leben", © Droemer-Knaur, München 1978, S. 90-91

S. 98   Zeichnung 1 und 3: A. de Jorio, "La Mimica Degli Antichi Investigata nel
         Gestire Napoletano"

S. 101   Kartenskizze: Polyglott Verlag, München

S. 107   Fotos: Süddeutscher Verlag, Bilderdienst, München (3); dpa, München (u.)

S. 108   Fotos: Süddeutscher Verlag, Bilderdienst, München (2, mi.); Sven Simon, Essen
         (u.); dpa, München (o.)

S. 109   Foto: dpa, München

S. 121   Fotos: Gernot Häublein, Altfraunhofen; Barbara A. Stenzel, München (o. re.)

S. 150   Foto: Reiner Schmidt, Bielefeld

S. 156   Fotos: dpa, München

Alle anderen Fotos: Ulrike Kment, München